LE TEMPS DES SORBIERS

Janet ROSCOE

LE TEMPS DES SORBIERS

The time of the rowans

Traduit de l'anglais
par M. TH. GUEROULT

LES EDITIONS MONDIALES
2, rue des Italiens — PARIS-9e

ISBN N° 2-7074-2402-1.

CHAPITRE PREMIER

Quand je me souviens de cette période, je pense toujours à la pluie de petites baies rouges des sorbiers, roulant dans les allées...

Mais je ferais mieux de commencer par le commencement, par ce jour de septembre venteux et froid où je pataugeais dans la rue Brompton sous une pluie battante, heureuse d'avoir mes bottes et mon imperméable.

Midi venait de sonner et les employés quittaient en masse les bureaux, le parapluie haut, gouttant sur les têtes encapuchonnées de plastique. J'avais, moi aussi un chapeau de pluie qui emprisonnait et protégeait mes cheveux.

J'allais déjeuner avec mon père. Devant cette foule mouvante sur les trottoirs, essayant de se frayer un chemin jusqu'au pub le plus proche, je trouvais un certain réconfort à me dire qu'au moins, je n'étais pas astreinte à des heures de travail régulières. Je ne redoutais pas le travail, mais je détestais la routine.

J'étais une artiste « commerciale ». Je dessinais des couvertures de livres, la plupart du temps pour un éditeur, mais j'avais aussi du travail personnel.

C'était beaucoup de chance car cela aurait pu tourner plus mal.

Tout le monde avait ri quand je m'étais inscrite à l'Ecole d'Art. Les prédictions les plus pessimistes avaient suivi. J'allais rejoindre les nombreux chômeurs... Il n'y avait rien à espérer dans ce métier, etc.

Or, j'avais eu du travail. Et rapidement. J'avais eu de la chance aussi, je le répète. J'avais rencontré un garçon qui connaissait un autre garçon, lequel connaissait un éditeur. Celui-ci avait accepté de regarder quelques échantillons de mon travail.

Modestement, j'étais entrée chez lui. Modestement, j'avais continué à faire mon petit bonhomme de chemin, chez lui... et chez d'autres. J'avais même été capable de louer un tout petit appartement.

L'appartement en question était situé au-dessus d'une épicerie, dans la rue Brompton. J'y vivais, j'y travaillais. C'était un genre de vie qui me convenait, un travail que j'aimais.

Peindre, dessiner, créer des images, c'était une façon de gagner ma vie, certes, mais c'était également vivre agréablement. Donc, échapper à mes regrets, à mes pensées.

Depuis le printemps, cependant, je ne couchais plus chez moi. Je revenais chaque soir à Mellerton. A cause de ma mère et de mon frère Tom. Père les avait quittés, depuis Pâques.

Je me souviendrai toujours de cet après-midi neigeux de mars, où Mère était arrivée chez moi sans prévenir, pour m'annoncer l'incroyable nouvelle : Père avait quitté la maison définitivement.

— Mais, ce ne peut être définitif, maman !

C'était tout ce que j'avais trouvé à dire, tandis

qu'elle s'asseyait sur le siège le moins encombré de la pièce, ses mains glacées tendues vers le feu.

— J'ai peur que si. J'en suis même sûre.

— Comment pourricz-vous le savoir ?

— J'en suis certaine, c'est tout.

C'était comme si elle avait déjà accepté, presque docilement.

— Vous êtes-vous disputés ? En avez-vous parlé avant qu'il parte ?

J'y allais avec prudence. Ce sont des choses tellement personnelles... On ne peut guère discuter avec ses parents d'affaires de cœur... ou peut-être de sexe...

Maman avait un regard accablé qui en disait long, mais les seuls mots qu'elle prononça furent :

— Ton père avait envie de partir. Il l'a fait. C'est tout.

— Il n'y a personne d'autre, vous êtes sûre ?

Je ne pouvais y croire. Pourtant, le démon de midi, ça existe...

— Il a trouvé un appartement, enfin, un pied à terre... Il s'y est installé, tout seul.

— Eh bien, cela pourrait être pire ! m'exclamai-je.

J'avais sûrement manqué de tact, Et puis c'était peut-être pire ainsi. Il n'avait pas quitté la maison pour une autre femme. Il était simplement parti, comme s'il ne laissait que poussière derrière lui... Il aurait presque été plus facile de pouvoir accuser une tierce personne, la fameuse « mauvaise femme » qui l'aurait entortillé, leurré.

Etre quittée pour rien me semblait être la pire des choses. On ne pouvait que se blâmer soi-même...

— Il reviendra, ajoutai-je. J'en suis sûre. Cela

ne lui ressemble pas de se conduire de cette façon. Il n'est pas méchant.

Puis, je m'étais tue, car ma mère était devenue blanche comme la craie. Du reste, comment savoir ? Je n'avais entendu qu'un son de cloche. Il y en a toujours au moins deux. Et ce n'était pas à moi de juger mes parents.

Mère reprit la parole pour me demander de revenir habiter avec elle et Tom.

— Cela me ferait tellement plaisir, Kate ! Avoir quelqu'un à qui parler, se confier ! Tom est encore un enfant, il ne comprend pas et, de toute façon, il prend toujours le parti de son père.

J'avais soupiré. Je sympathisais... avec Tom. Il n'avait que onze ans. Pouvait-on lui demander de voir plus loin que le bout de son nez ? Père était parti, c'était donc la faute de sa mère, quelque chose qu'elle lui avait fait. C'était la façon dont Tom raisonnait.

Pourquoi ferais-je de même, quand c'était elle qui avait été abandonnée... Je soupirai encore, en pensant que je risquais de ne pas retrouver mon logement avant longtemps.

Mais, ni pour ma mère, ni même pour Tom, je ne l'aurais abandonné. Un jour les choses s'arrangeraient et je reviendrais chez moi. Si je le lâchais, je pourrais en faire mon deuil. Un toit, si modeste soit-il, c'est un trésor en ce moment, surtout dans le centre de Londres. Donc, je le garderais. Je dormirais à Mellerton, mais je reviendrais chaque matin travailler chez moi.

Il était évident que cet arrangement déséquilibrait mon mince budget. Je perdrais aussi le contact avec mes amis et c'était sans doute ce qui me coûterait le plus, et me serait le plus dommageable, socialement. Mais que faire ?

Tout ce proche passé me revenait en mémoire, tandis que, émergeant du métro à Green Park, je franchissais la courte distance qui me séparait du Bar July.

Papa et moi nous rencontrions ainsi environ une fois par mois. Cela ne plaisait guère à ma mère ; mais je n'en tenais pas compte. Cela m'aidait à établir, équitablement entre les deux, l'équilibre de mes sentiments. Ils étaient mes parents et je les aimais, et je ne trouvais pas juste de faire pencher la balance d'un seul côté.

Leur querelle, ou quel que soit le nom qu'ils donnaient à leurs différends, c'était leur affaire, pas la mienne. Mais j'étais attentive à tout ce qui aurait pu aider à les rapprocher. Je n'y avais pas encore renoncé.

Si j'avais quelqu'un à blâmer, et l'équilibre eût été difficile à garder alors, j'avais tendance à blâmer maman, qui avait toujours un peu considéré les choses comme acquises, qui n'avait pas su voir que père pouvait être encore une proie tentante pour une autre femme. Et elle avait été naïve... N'avait-elle pas eu l'exemple de son propre père ?

Ainsi, tout en essayant honnêtement de juger... sans juger, je pensais qu'elle aurait dû être plus attentive, moins s'accrocher aux détails un peu ridicules, un parquet sali par des chaussures boueuses, ou passer autant de temps à pourchasser la poussière... Bref, faire des histoires pour rien !

Père était au bar, devant son habituel apéritif, quand je poussai la porte-tambour. Il était grand, solide, et charmant, avec son bon visage toujours de la meilleure humeur. Quand il m'aperçut dans la glace, il me sourit et tout son corps semblait se détendre pour me faire un accueil joyeux, à moi seule...

Maman est stupide ! pensais-je. Il est si affectueux, si bon ! Le dernier homme à laisser échapper ! Il vint à moi, laissant son verre sur le comptoir et, quand il m'embrassa, je me sentis de nouveau une petite fille.

J'avais envie de lui passer les bras autour du cou, de le serrer très fort. Il avait été si merveilleux pour moi après la mort de David. Il avait dit juste les mots qu'il fallait, et seulement ceux-là. A lui seul, il m'avait tirée hors de l'abîme.

— Bonjour, papa.

— Tout va bien à la maison ?

Il me regarda ôter mon chapeau de pluie et secouer la masse de mes cheveux auburn. Dieu merci, je ne suis pas une fille rousse, de ce roux carotte qui fait mal aux yeux. Quand ils sont très humides, mes cheveux sont presque noirs. J'ai des yeux verts (des yeux de chat, dit mon père) et je suis bien plus grande que la moyenne. Et mince, pas du tout le genre « poupée ». Mais j'avoue que cela pourrait être pire. Père avait l'habitude de dire que j'avais « de la classe ».

— Que veux-tu boire, chérie ?

— Un whisky on the rocks, dis-je espérant le scandaliser un peu.

Ce n'était pas seulement pour cela que j'avais fait ce choix. J'avais besoin de me réchauffer. Au dedans comme au dehors, je me sentais déprimée. Le vilain temps sans doute...

— Tu t'en sens vraiment le besoin ? Alors, j'en prendrai un aussi.

Nous nous assîmes à une table proche, et bientôt, nous fûmes en train de dévorer le célèbre steack de July. Son grand succès !

— Une cure contre le spleen, déclarai-je, le mauvais temps, et les perpétuelles mauvaises nouvelles de partout.

Il eut un hochement de tête qui ne semblait pas convaincu et fronça les sourcils au-dessus de son verre. Je sirotai mon whisky, tout en me disant que j'avais été stupide de le commander. Je ne l'aimais même pas...

— Tu semble pâlotte, chérie, fatiguée.

— Ce n'est pas une remarque pleine de tact, répliquai-je, en riant.

— Je n'en avais pas l'intention, dit-il sérieusement.

Il posa sa main sur mon bras.

— Kate, ces perpétuels voyages, chaque jour, entre Mellerton et Londres, c'est épuisant. Laisse-moi au moins payer les frais de cette double fatigue. Je puis régler l'appartement...

— Non, père, merci. Je peux y arriver. J'ai beaucoup de travail en ce moment.

Je me servis de moutarde et coupai une grosse bouchée de steack. Il était énorme, tendre et savoureux.

Mon père était directeur des achats dans une très grosse entreprise de librairie. Il pouvait parfaitement m'offrir un magnifique steack chez July, mais, mon loyer, c'était tout autre chose. Je n'avais pas l'intention de le lui faire payer.

C'était pourquoi je venais de mentir. Le travail tendait plutôt à diminuer, à cause de la crise, des grèves, etc. J'étais anxieuse pour l'avenir proche, mais cela ne le concernait pas.

— Mère a eu des nouvelles de grand-mère Steward, dis-je pour changer de sujet.

— Oh ! s'exclama mon père, gentiment.

Mais il avait cessé de mastiquer et posé sa fourchette et son couteau.

Grand-mère Steward est la mère de maman, une Ecossaise assez rigide. Elle était évidemment au courant de la séparation des parents. Mère lui en avait parlé, et elle avait pris naturellement le parti de sa fille.

— Elle voudrait que nous prenions un hôte payant.

— Elle veut... quoi ? s'exclama Père, abasourdi.

— Que nous prenions un hôte payant, répétai-je. Et, en ce moment, ce ne serait sans doute pas une mauvaise idée. La maison est assez grande, même si j'ai repris ma chambre. Il y a une chambre d'amis disponible.

— Mais votre mère n'a pas besoin de cet argent !

— Elle a surtout besoin de s'occuper.

— On dirait que tout est déjà arrangé !

— Oui, Père.

— Alors, pourquoi m'en parler maintenant ? M'agacer avec cette histoire ?

Je me mordis la lèvre sans répondre. Je comprenais Père. Il n'aimait pas Granny Steward, qu'il jugeait trop autoritaire.

Elle vivait dans la banlieue d'Edimbourg, mais, même de là, elle s'arrangeait pour faire sentir sa présence.

— Je regrette d'avoir parlé de ça, dis-je, réellement contrite.

Pendant un moment, nous mangeâmes en silence.

— Comment ta grand-mère est-elle mêlée à ça ? demanda-t-il enfin résigné.

— Une de ses amies à Edimbourg a un fils professeur dans un collège. Il enseignait à Edimbourg, mais il désire venir dans le sud. Il a obtenu un poste près de Mellerton. Littérature anglaise, me semble-t-il.

J'avais ajouté la dernière phrase avec intention. Dès qu'il est question de livres, papa s'adoucit.

— Pourquoi votre mère ne m'en a-t-elle pas touché un mot quand je l'ai vue, dernièrement ?

Mon père et ma mère s'étaient vus, en effet quelques jours plus tôt et cela avait soulevé un grand espoir chez Tom et moi.

— Je crois qu'elle préférait que ce soit moi qui vous en parle.

— Bien sûr ! C'est plus simple. Elle savait que je ne serais pas d'accord.

Il recommença à manger.

— Eh bien ! dis-lui que c'est entendu. De toute façon, elle le fera si sa mère lui a mis cette idée dans la tête.

Ignorant la référence à Granny, je dis, en ajoutant un peu de crême dans mon café :

— Pour ma part, je pense que c'est une bonne chose. Mère a besoin d'être occupée. Et elle adore ça. Et puis, je crois qu'il lui manque un homme à dorloter...

(Attention, Kate, tu t'aventures sur des chemins dangereux...)

Mais l'expression du visage de mon père n'avait pas changé.

— Tu ferais aussi bien de me donner quelques détails, Kate. Que je sache au moins qui habitera là.

Là... Dans sa maison, pensai-je. Pas étonnant qu'il soit fâché. Réellement, quel gâchis !

— C'est un nommé André Goss. Il est fiancé

à une jeune fille, dont le père est quelque chose comme psychiatre. Ils doivent se marier prochainement, donc, l'installation de Goss n'est que provisoire.

— Un arrangement temporaire, en somme ?

— Oui, c'est tout à fait ça.

— Bon, dans ce cas, que ta mère fasse à sa guise.

Il me regarda un instant, les mâchoires serrées et dit, tout à trac :

— Ta mère et moi allons divorcer. C'est la seule issue.

J'eus l'impression que j'allais me trouver mal. Je fermai les yeux assez longtemps pour que la petite graine d'espoir que j'avais soignée et nourrie pendant des semaines, se fane et meure.

— Oh ! Père ! dis-je enfin d'un ton profondément désolé, est-ce possible ?

— Tout à fait certain. C'est réglé. Nous en avons discuté, ta mère et moi, la semaine dernière.

— Elle ne m'en a rien dit.

— J'avais prévenu que je désirais t'en parler moi-même. Elle le dira à Tom.

— J'avais tant espéré..., commençai-je.

Puis, j'abandonnai. Ce que j'avais espéré n'aurait rien donné de bon. Pourquoi recommencer s'ils n'étaient pas heureux ensemble ? Mais il y avait Tom. C'était important. Tom était encore un enfant. N'auraient-ils pas pu faire un effort pour son bien ?

— Je laisse la maison à votre mère et lui servirai une pension convenable. Et bien sûr, une allocation pour Tom, dont elle gardera la charge.

— Tom veut vivre avec vous. Il en parle à chaque instant.

— Je suis désolé à son sujet, Kate. Ne crois pas

que cette situation me laisse indifférent. Mais, je le verrai aussi souvent que je pourrai, je m'intéresserai à ses projets, j'essaierai même de lui faire comprendre... Je ne peux rien dire de plus.

— Bien, je comprends. Combien de temps pensez-vous que cela prendra ?

— Tu veux parler des procédures légales ? Oh ! Deux ou trois ans. Ta mère et moi devons vivre deux ans séparés avant de pouvoir déposer notre demande, notre requête.

Procédures légales... Requête... Les mots m'arrivaient en plein visage, comme des gifles.

— Cela semble si extraordinaire, après vingt-quatre ans... dis-je enfin.

Je n'avais pu m'empêcher de prononcer ces mots. J'avais l'impression que j'allais exploser.

— Il n'y a rien là d'extraordinaire, aucun mystère. Votre mère et moi ne pouvions plus nous supporter. Nous nous portions sur les nerfs mutuellement, et d'une telle façon qu'il valait mieux nous séparer.

« Et nous ne sommes très vieux ni l'un ni l'autre, Kate. As-tu songé à ce que représentent de longues années, à se sentir, isolé, solitaire dans sa propre maison...

« Je te jure qu'il m'était impossible de continuer ainsi, même pour Tom.

Il parlait tristement, d'une voix amère, qui ne lui ressemblait pas. Même son visage avait brusquement changé. L'espace d'un instant, je pus avoir une idée de ce qu'il serait dans vingt ans, quand il serait très vieux. Cela me fil mal.

— Si c'est réellement aussi pénible que çà, murmurai-je, il vaut mieux, en effet, que vous vous sépariez.

Mais il m'était difficile de lui cacher à quel point j'en étais bouleversée.

Nous nous quittâmes tristement, dehors, sous la pluie. Les lèvres de père étaient douces sur ma joue.

— Au revoir, ma Katie. Prends-bien soin de toi. Nous nous reverrons dans un mois.

Il avait une expression désolée et il s'éloigna très rapidement, comme pour écarter un souvenir douloureux de son passé. Je l'étais, en fait, mais j'étais aussi son présent.

A vingt-trois ans, indépendante, je pouvais selon mon choix être son passé et son présent. Père pourrait également voir Tom, pauvre gosse ! C'était lui le plus à plaindre.

J'espérais que ces visites « légales » ne seraient pas trop rigoureusement règlementées, qu'ils auraient ensemble des journées agréables, de belles vacances.

J'espérais que Tom n'aurait pas l'impression d'avoir complètement perdu son père. J'espérais qu'il pourrait attraper tout ce qu'il y aurait de bon, de chaque côté...

Je sortis du métro et pataugeai de nouveau vers les boutiques où j'avais quelques achats à faire, du papier et quelques provisions.

Il n'était que deux heures. Je pouvais travailler encore un bon moment avant de reprendre le train pour Mellerton. Je ne voulais cependant pas trop m'attarder, car le vendredi est le pire jour pour monter dans un train, avec les gens qui partent en week-end.

Je fis mes achats rapidement. Il me tardait de rentrer travailler. Quand j'étais en train de dessiner ou de peindre, j'oubliais tout. Le travail me calmait.

Il m'avait beaucoup aidée à la mort de David. Maintenant, je comptais encore sur lui, car le souci de mes parents me tenaillait, surtout à cause de Tom.

Quand j'arrivai dans la rue Brompton. je passai à la boutique de M. Parkes. Il y a toutes sortes d'avantages à vivre au-dessus d'une épicerie, particulièrement quand on aime les fruits. Et mâchonner une pomme est très reposant. Cela m'aidait à me concentrer quand j'avais un projet en tête qui venait mal.

On faisait la queue chez M. Parkes, mais il me laissa me servir moi-même. Il savait que je reviendrais le régler plus tard.

Monsieur Parkes était comme Popeye, avec des bras musclés et une casquette de marin.

— Content de vous revoir, mon chou ! cria-t-il à travers le comptoir des légumes. Je crois bien qu'il y a une visite pour vous sur votre palier. Quelqu'un de bien, ajouta-t-il avec un clin d'œil, en jetant un sac de prunes sur la balance.

Je passai à travers la boutique pour monter chez moi. Il y avait un petit passage noir et assez malpropre, mais commode. Cela m'évitait de sortir la clé du portail extérieur.

Naturellement, je ne pouvais le faire que lorsque la boutique était ouverte. Sinon, je devais utiliser la clé de l'entrée principale, le portail d'une ancienne remise à voitures.

Mon visiteur devait être également passé par la boutique, puisque M. Parkes l'avait vu. C'était probablement Mike, le garçon qui s'occupait des illustrations, aux éditions Trent pour lesquelles le travaillais. J'espérais bien que c'était lui car cela signifierait du travail supplémentaire. J'en avais besoin.

Les bras chargés de mes emplettes de papeterie et des fruits de Parkes, je grimpai rapidement l'escalier. Il était étroit et sombre comme le petit palier du rez-de-chaussée et couvert d'un linoleum usé et dangereux pour ceux qui n'avaient pas l'habitude de l'emprunter.

Je le connaissais bien et n'avais jamais eu d'accident. Alors, pourquoi ressentis-je brusquement une crispation de frayeur et me mis à frissonner, en escaladant les marches ?

L'odeur d'humidité, jointe aux senteurs de la boutique, ne m'avait jamais paru aussi forte. Je soufflai une seconde sur le palier du premier et repris ensuite la montée jusqu'au palier suivant : le dernier, le mien.. Les pièces du premier étage composaient le logement de l'épicier. Nous avions un palier commun, celui-là. En réalité il habitait en banlieue.

Presque en haut, je m'appuyai un instant contre la rampe. Quelqu'un m'attendait, qui n'avait aucune ressemblance avec Mike.

Il était très brun, et regardait au-dessous de lui, guettant ma venue... Il était plus jeune que Mike, de taille moyenne dans un imperméable serré par une ceinture. Et je le connaissais... Grand Dieu !

— David !

***

Je n'appelai qu'une fois, mais ce fut un cri.

Je me sentis partir en arrière, j'allais tomber. Il vint à moi, me retint, me souleva, m'entraîna sur les dernières marches, serrée contre lui. Mes paquets s'éparpillèrent.

— David... David..., répétai-je.

Et ma voix n'était qu'un son rauque au fond de ma gorge.

— Kate ! Kate ! Allons, remettez-vous ! Tout va bien...

Un brouillard m'enveloppait. Je me sentis moitié emportée, moitié traînée jusqu'à l'intérieur de mon appartement.

Je n'étais pas totalement inconsciente. J'étais assez lucide pour me rendre compte de mon environnement. J'étais chez moi, dans mon appartement. Je savais aussi que ce n'était pas David qui était là. Ce ne pouvait être lui. Les gens, hélas ! ne reviennent pas ainsi à la vie.

David était mort. Mort depuis un an.

J'avais été installée dans un fauteuil et mon serviteur me força à baisser la tête presque à hauteur de mes genoux, pour rétablir la circulation cérébrale. Je connaissais le procédé, mais, à cet instant, je le trouvai particulièrement humiliant.

Même ainsi, j'étais capable d'entendre.

— Kate, je suis Paul Channing.

Et, remontant du fond de l'abîme, je le vis, au-dessus de moi, les mains sur les hanches, le visage très proche du mien.

Une fois de plus la ressemblance avec David me fit battre le cœur d'une façon désordonnée.

Mais, je savais qui il était, avant même de l'avoir entendu se nommer. C'était le frère jumeau de David, absent depuis des années, en Rhodésie, si je me souvenais bien. Il était, comme son frère, conseiller fiscal de la même importante société, Everton et Joslings. Le siège se trouvait dans le quartier de Knightsbridge, tout près de chez moi, mais la société avait de nombreuses filiales à l'étranger.

— J'ai cru un instant..., commençai-je. Puis je

m'arrêtai sentant dans mes yeux le ridicule picotement des larmes.

— Oui, je sais ! Vous m'avez pris pour David. Je suis terriblement désolé. Bien sûr ! j'aurais dû y penser...

— Et vous portez son imperméable ! dis-je d'un ton accusateur.

Cela me semblait à cet instant le dernier outrage, ce port du vêtement de David, avec son accroc à la poche, dont je me souvenais si clairement.

Il l'avait fait en accrochant la poignée de sa voiture, un soir que nous étions sortis ensemble.

Je me souvenais de la façon dont il avait juré... David était aussi violent que moi. Egalement entêté, aussi.

Parfois, nous nous en amusions. A d'autres moments cela provoquait des disputes.

— Son appartement est plein de ses affaires, m'expliquait Paul qui semblait confus. Il pleuvait, l'imperméable était sous ma main, je l'ai enfilé.

Cela tombait sous le sens, mais je vis bien qu'il était ennuyé. Je le regardai résolument, bien en face. Nous nous dévisageâmes. Je suppose que nous étions tous deux anxieux de nous connaître.

Ainsi, de très près, je pouvais voir les différences avec David. Il avait son sourire, mais la peau du visage était plus mate et très hâlée aussi. Il avait les mêmes plis autour des yeux, ces petites rides que provoque le soleil, quand on cligne des paupières au lieu de porter des lunettes sombres. Ses yeux bleu-gris bordés de longs cils, qu'on eût dit peints, s'il s'était agi d'une femme, avaient un regard plus réservé que ceux de son frère. Un regard qui livrait moins de lui-même.

David était un livre ouvert. Ce qu'il ressentait,

il ne le dissimulait pas. Le garçon que j'avais en face de moi était certainement plus prudent, plus circonspect. Sans doute aussi plus sage, et certainement plus confiant en lui. Et, surtout, il semblait ne pas posséder de nerfs. Il était trop froid, vraiment ! Je ne pus le supporter davantage.

— Vous avez ouvert ma porte ? dis-je d'un ton accusateur.

— Seulement pour vous faire entrer, répondit-il. Je vous attendais sur le palier. Pourtant j'avais cette clé dans ma poche. C'est quand vous avez décidé que vous vous trouviez mal que je me suis permis d'ouvrir. Il fallait bien en arriver aux mesures extrêmes. Je ne pouvais vous tenir dans mes bras jusqu'à demain...

— Mais... comment vous êtes-vous procuré cette clé ?

— Elle était dans les affaires de David. J'étais en train de faire des rangements quand je suis tombé sur l'étiquette : Kate. J'ai pensé que je devais vous la rendre. C'est pourquoi je vous attendais.

Il posa la clé sur mes genoux.

Je la regardai, très émue. J'eus du mal à prononcer :

— Merci beaucoup. C'était très gentil à vous. Vous auriez pu me l'envoyer par la poste.

— J'avais le désir de vous rencontrer. J'avais vu votre photo, et David m'avait longuement parlé de vous dans ses lettres. Et, comme j'étais dans les environs, j'ai pensé... Bref, il m'a semblé naturel de venir.

Il avait fait un geste expressif de ses mains longues et fines. C'étaient les mains de David. On aurait dit que quelqu'un là-haut se moquait de moi. J'avais à nouveau les nerfs à vif.

— Peut-être n'était-ce pas très sage ? Peut-être n'aurais-je pas dû venir ?

Il y avait une pointe d'interrogation dans la voix, Paul avait perdu un peu de cette trop grande confiance que je lui reprochais un moment plus tôt. Cela me fit mal. Je me hâtai de le rassurer.

— Je suis contente que vous soyez venu.

CHAPITRE II

Je lui tendis la main et il la serra. Mais l'expression de son regard, à ce moment-là, était difficile à lire ou à deviner. C'était un homme indéchiffrable. Je frissonnai sous son regard.

— Je vais faire un peu de café, ou préférez-vous du thé ?

— Le café serait très bien. Puis-je vous aider ?

— Oh, non, merci ! Je suis tout à fait revenue de mon trouble.

Je traversai la pièce en direction de la cuisine, qui n'était qu'une alcôve. J'allumai le gaz.

— Votre ressemblance avec David est fantastique. On a dû vous le répéter bien souvent.

— Tout le monde a fait tous les commentaires possibles à notre sujet. Pourtant, cette ressemblance est bien naturelle. Nous sommes de vrais jumeaux... Mais, j'y pense, Kate. N'aviez-vous pas des paquets dans vos bras quand vous êtes arrivée ?

— Zut ! Ils ont dû dégringoler dans l'escalier. Du matériel pour mon travail et des pommes.

— Je vais les rattraper, dit-il. Ne vous inquiétez pas, ce sera vite fait.

Avant d'avoir fini sa phrase il était déjà sorti.

Il revint presque aussi vite, avec mes colis et quelques fleurs. Des chrysanthèmes jaunes.

— Que c'est gentil !

Toute décontenancée, j'enfouis mon nez dans le bouquet.

— C'était bien la moindre des choses, pour adoucir un peu le choc.

Il riait d'un rire taquin. A nouveau, je crus voir David.

Comme j'étais debout près du réchaud, attendant que le café soit prêt, je pouvais l'apercevoir dans mon petit salon-atelier, considérant mes outils de travail, mes tubes de couleurs, mes pinceaux. Tout ce qui traînait sur ma table de travail, des crayons dans une ancienne boîte de chocolats. Tout cela était en désordre. J'en étais un peu honteuse.

— Il y a un fameux fouillis chez moi, dis-je. Je ne sais pas travailler proprement.

— Mais vous êtes très douée. Cela, je le sais par David. Il était très admiratif de votre talent.

— Oh ! Très souvent, je me contente de copier. Ou bien je prends mes idées un peu partout, spécialement sur des photographies. Même des articles de journaux, sans images, suffisent à me donner des idées. Mais tout cela n'a rien de très original, comme vous pouvez voir. Même quand j'invente, ce qui m'amuse le plus, je dois l'avouer.

Sur la table, il y avait une série de croquis préparés pour illustrer un livre pour enfants. L'héroïne de l'histoire était une vache, nommée Belamour. Elle devait avoir l'air bon et rassurant, ce qui n'était pas facile à rendre. J'avais pourtant essayé et peut-être même réussi. C'était une commande récente. J'en espérais d'autres. Belamour était destinée aux enfants de moins de cinq ans.

— Aimez-vous les enfants ? me demanda Paul, dont la silhouette bloquait la porte de ma minuscule cuisine.

— Modérément, je pense.

Je mis le café sur un plateau.

— Mais, on n'a pas besoin de les adorer pour dessiner à leur intention, ajoutai-je, après avoir réfléchi un instant. Les enfants modernes sont aussi incrédules que les adultes. On ne les intéresse pas facilement.

— Vous avez sans doute raison. Je n'y avais pas pensé.

Il m'avait pris le plateau des mains.

— Vos photographies ne vous rendent pas justice, parce qu'elles sont en noir et blanc, dit-il.

Il me regardait très attentivement tandis que je regagnais la salle de séjour.

— Vraiment ?

Je lui tournai le dos pour verser le café dans nos tasses. Il devenait trop aimable, pensais-je. De plus, je n'avais jamais apprécié les remarques personnelles, quand elles viennent de gens que l'on connaît peu.

Ma réserve visible ne semblait pas l'inquiéter, car il continua tranquillement :

— Elles n'indiquent pas, par exemple la teinte très inhabituelle de vos cheveux.

— Rouges comme la commode d'acajou de ma chambre ! a l'habitude de dire mon frère.

Je lui tendis sa tasse sans lever les yeux sur lui. Et je m'assis sur mon tabouret de travail.

— Etes-vous en congé, enfin, je veux dire, en vacances ?

Je ne savais pas grand chose de la société qui avait employé les deux frères, sauf ce que David m'en avait dit. De Paul, je savais seulement qu'il avait été à l'étranger, longtemps, quelques années, en tout cas.

Il se débarrassa de l'imperméable et s'assit légèrement sur mon unique fauteuil, le visage tourné vers la lumière.

J'osai alors le dévisager à ma guise. Je redécouvris les traits qui m'avaient été si familiers, si chers. Les cheveux bruns, les pommettes hautes et saillantes, le nez arrogant, les yeux gris-bleu et la longue et mince silhouette.

Mais, que connaissais-je de cet homme ? Je me torturais la cervelle à l'imaginer.

Il était malade quand David s'était tué. Il n'avait pas pu assister à scs obsèques.

David m'avait dit que Paul était le favori de leur mère. Le seul, m'avait-il expliqué un jour, dont elle tolérait les appréciations et acceptait même parfois les conseils.

A ses yeux, m'avait-il dit, Paul ne peut jamais avoir tort.

Madame Channing l'avait rejoint tout de suite après l'enterrement, avec l'intention de rester auprès de lui définitivement. Je tenais le renseignement de sa sœur, Miss Field, qui était notre proche voisine à Mellerton. Elle était professeur dans le collège où notre futur hôte payant avait été nommé.

— Non, je ne suis pas en vacances, me disait Paul, me ramenant ainsi au moment présent. Je vais maintenant travailler au siège de notre Société. J'ai eu une petite promotion. J'ai tiré ma révérence aux contrées lointaines, pour toujours, j'espère.

— Donc, vous êtes satisfait ?

— Oui, tout à fait. J'ai été absent d'Angleterre pendant six ans. Cela me paraît amplement suffisant.

Mais j'avais vingt-cinq ans, alors, et un tel déplacement me paraissait une merveilleuse aventure. Maintenant, c'est totalement différent. J'ai envie de me sentir réellement chez moi, avec tout ce que cela comporte d'apaisant.

Le regard qu'il avait posé sur moi me gêna. Je me sentis rougir de la tête aux pieds.

— Combien de temps avez-vous été fiancée avec David ? demanda-t-il après un moment de silence.

— Officiellement, deux mois seulement. Mais il y en avait huit que nous avions fait des projets.

Je me demandais s'il avait envie d'avoir des détails sur la mort de David, mais sa mère avait dû lui en donner, sans doute. Pourtant, je n'en étais pas sûre. Mais, après tout, c'était elle qui était présente. Pas moi. Et je n'avais pas envie de parler de tout ça. Je commençais à attendre avec une certaine impatience le moment où Paul s'en irait.

— Avez-vous toujours cet affreux temps en septembre ? me demanda-t-il brusquement.

De nouveau, sa voix, ses intonations me firent sursauter. Dehors, à travers la fenêtre qui dominait l'ancienne cour des équipages, la pluie tombait à verse.

— Hélas, fréquemment ! Vous l'aviez oublié ?

Je tournai un commutateur. Quand la lampe commença à chauffer, je sentis une odeur de poussière.

— Je pense que la grisaille de notre ville vous choque après le soleil africain ? ajoutai-je pour remplir un silence qui devenait gênant.

— Pas autant que ma mère.

Comme il s'agitait un peu dans son fauteuil, celui-ci fit entendre sa plainte habituelle. Généralement, cela me faisait rire. Aujourd'hui, je n'en avais pas envie. J'avais conscience de la saleté de l'appartement que je ne prenais pas le temps de remarquer d'habitude, surtout maintenant où je n'y couchais plus.

Mais, sa réflexion effaça toute autre impression.

— Votre mère est rentrée avec vous ? Ah ! Oui, bien sûr...

Je n'étais décidément pas heureuse dans mes réflexions. Comment aurait-il pu la laisser derrière lui ?

— Je l'ai laissée dans l'appartement de Highgate, avec un plaid sur les genoux, et le chauffage au maximum. Elle est avec moi, oui. Ou, plutôt, je suis avec elle... Et, malgré le froid, elle est contente d'être rentrée.

— Bien sûr, c'est compréhensible.

Mais je venais de ressentir un sentiment que je connaissais bien. Sylvia Channing me causait toujours une impression de mal à l'aise, une inquiétude difficile à expliquer.

Son appartement, qui avait été le foyer de David, était situé à Highgate. C'était un appartement magnifique, bourré de fort belles choses anciennes.

Quand j'allais la voir — ce qui m'avait toujours paru une terrible corvée — j'avais toujours peur d'éternuer trop fort, ou d'avoir un geste maladroit, ou Dieu sait quoi d'aussi incongru. Bref, de créer un incident.

David et sa mère aimaient beaucoup les antiquités. Ils étaient tous deux connaisseurs, ainsi que beaucoups de leurs amis.

— Vous vivez donc là-bas ? dis-je.

Je n'appréciais guère ce sujet de conversation

mais, puisqu'il ne partait pas, il fallait bien trouver quelque chose à dire.

Je ne pouvais pas sembler totalement muette et paraître idiote. Et je ne voulais surtout pas qu'il s'aperçoive combien il me portait sur les nerfs. Il aurait sans doute mal compris pourquoi. Il m'aurait peut-être prise pour une malade.

— Pour le moment, oui, j'habite avec elle, répondit-il. Mais seulement pour le moment. Mère a une gouvernante, dont vous vous souvenez peut-être. Elle a gardé l'appartement pendant toute la dernière année.

— Oui. Certainement, je me souviens de madame Harris.

Je ne pouvais pas ne pas m'en souvenir. Elle était venue auprès de madame Channing, juste avant ces fatales vacances, un peu après son attaque cardiaque.

L'idée était de lui laisser la convalescente en charge, dès ce moment-là, pour qu'elle continue à veiller sur elle quand David et moi, mariés, aurions quitté la maison.

La voix de Paul me fit une fois de plus sursauter, au milieu de mes souvenirs de Cornouailles.

— Je crois que cela convenait à David de vivre avec elle, venait-il de dire.

— Eh bien ! oui, je pense...

— Mais cela n'aurait pas duré longtemps. Vous vous seriez mariés rapidement. Moi, je cherche un petit coin pour moi.

Je lui souris avec une certaine malice.

— Même un petit coin est très difficile à dénicher à Londres en ce moment, expliquai-je.

D'un geste de la main, j'écartai une mèche de cheveux qui me tombait dans les yeux.

— Quelque chose dans le genre de celui-ci me conviendrait parfaitement, dit-il en jetant un regard circulaire.

J'eus l'impression qu'il se moquait de moi. Il devait bien se douter que je savais qu'il lui faudrait quelque chose d'autrement élégant que mon taudis : deux pièces au-dessus d'une épicerie.

— Je vous verrais bien dans une résidence avec service, ne pus-je m'empêcher de répliquer.

Mon appartement n'a rien de chic mais je n'aime pas qu'on prenne avec moi des airs protecteurs.

— Ici, continuai-je sur ma lancée, il faut tout faire soi-même. Ou admettre que ce ne soit pas fait !

— Je suis très doué pour m'occuper de telles choses, si j'ai à le faire.

Je crus découvrir dans son regard une éclair de mécontentement. Il devait me prendre pour une effrontée. Nous étions à une période de nos relations où un manque de communication peut devenir désastreux.

Je sentais que cela ne marchait pas, entre nous, comme il aurait fallu. De minute en minute, cela semblait empirer. Je me demandais s'il aurait envie de jamais revenir.

Il avait pris un air pensif.

— Je connais très peu de monde à Londres, dit-il enfin. Sauf les gens du bureau, évidemment. Et j'aime séparer très distinctement le travail de mes loisirs. Voudriez-vous me faire le plaisir de dîner avec moi un de ces soirs ?

Ma première impulsion fit un refus poli et définitif. Il me rappelait trop le passé... Et pourtant, quand je le regardai, ce refus tout prêt à sortir, je ne le prononçai pas. Quelque chose, une expression de son visage peut-être, me fit changer d'avis et dire oui.

Pourquoi ce brusque revirement ? Je n'aurais su l'expliquer. C'est une de ces choses qu'on est incapable de traduire. On lui obéit, simplement.

— Chic ! C'est gentil.

Il paraissait sincèrement heureux, et je me sentis flattée.

Il est toujours bon — ou presque toujours — de ne pas trop s'isoler. J'avais trop perdu l'habitude des rendez-vous. Pour être honnête, je dois dire que j'avais tellement refusé les invitations, depuis la mort de David, que j'avais fini par décourager les plus tenaces. Sans m'en apercevoir, je me serais sentie un jour absolument isolée.

— Bon ! Alors quand ? demanda-t-il impatiemment.

Et, une fois encore, je me sentis flattée. Non seulement, Paul m'invitait, mais il paraissait impatient.

— La semaine prochaine.

— Pourquoi pas ce soir ?

Je fis un signe de dénégation désolé.

— Je dois être à la maison à six heures. Je ne puis changer mes plans sans prévenir.

— Vous devez revenir chaque week-end ?

— Je dois rentrer tous les soirs.

— Vous rentrez tous les soirs coucher chez vos parents et vous avez un appartement à vous ?

Il paraissait réellement fort étonné. Qui pouvait l'en blâmer ? Cela semblait en effet aberrant, dit en quelques mots, sans explications... Ces explications, me dis-je en soupirant, j'allais devoir les donner. Même si elles n'étaient que partielles.

Je commençai, cherchant mes mots :

— Ma famille traverse une mauvaise passe. Je dois l'aider à en sortir. Evidemment, lorsque les choses iront mieux, je reprendrai la jouissance pleine et complète de ce petit appartement.

— Je vois, dit-il.

Mais son air étonné ne l'avait pas quitté. Cependant, je n'avais nulle intention de l'éclairer davantage.

— Eh bien ! alors, nous en restons à lundi ? Nous pourrions dîner ensemble et aller ensuite danser quelque part. Enfin, faire ce que l'on fait à Londres à cette époque.

— Nous dînerons, simplement. Après je serai obligée de rentrer à Mellerton.

— Alors, d'accord pour le dîner, puisque je dois m'en contenter.

Son ton était encore un peu étrange, et je le regardai plus attentivement. Mais il ne riait pas. Il semblait plongé dans ses pensées.

Après cela, nous bavardâmes encore un moment de choses et d'autres. Ensuite, il m'accompagna jusqu'à King Cross. Il n'était pas le moins du monde obligé de venir jusque là, mais je dois avouer qu'il me sembla bon d'avoir un compagnon de route jusqu'au métro. Un homme tel que lui ! Car, de même que David, il me rendait faible et me sensibilisait, en quelque sorte.

Je faillis rater mon train, à bavarder à l'entrée du quai. Je sautai dedans, juste au moment où il démarrait.

***

Le trajet Londres-Mellerton dure une demi-heure seulement, mais il fut suffisamment long pour que je revienne en pensée à ces vacances en Cornouailles, vieilles d'un an tout juste, lorsque David et moi nous fûmes installés auprès de Mme Channing.

De ce voyage, hélas, elle et moi étions revenues seules...

Ce n'était pas du tout en Cornouailles que nous avions eu l'intention de passer ce mois de congé, David et moi.

Nous avions fait le projet d'aller en Crête. Nous étions tous les deux fous de vieilles pierres. Les ruines du palais du roi Minos nous tentaient tous deux, particulièrement.

Nous avions longuement préparé les excursions que nous comptions faire, les longs bains de soleil, entre deux contemplations... Bref, ces prochaines vacances étaient le couronnement d'un beau rêve, pour tous deux.

Nous en parlions, nous en discutions à chacune de nos rencontres. Et puis, madame Channing tomba malade...

Et ce n'était pas un simulacre de maladie. Elle avait eu une crise cardiaque. Angine de poitrine, avait dit le docteur.

David, évidemment, détestait l'idée de la laisser seule dans de telles circonstances, même avec la gouvernante experte et dévouée que s'était révélée être Mme Morris.

Nous décidâmes donc de passer notre congé en Cornouailles, au lieu d'aller en Crête.

Il était très facile pour Mme Channing de faire ce déplacement par la route. Ce n'était pas que cela me fît réellement plaisir. Mais on ne peut pas toujours choisir. Et je prenais grand soin de ne jamais dire un mot qui pût dévoiler, si peu que ce soit, mes sentiments.

Et puis, me disais-je en guise de fiche de consolation, pendant que sa mère se reposerait, David et moi pourrions excursionner. Et, en tout cas et surtout, être seuls.

Cela ne se passa pas du tout de cette façon, car le temps fut exécrable. Chaque jour apportait sa ration généreuse de pluie, et, même pour la Cornouailles, d'effrayantes tempêtes.

L'hôtel était médiocre, la nourriture franchement détestable. Madame Channing se plaignait continuellement, et quant à David et moi, lorsque nous nous aventurions dehors, nous revenions trempés de la tête aux pieds.

Le pire était sans doute que cette situation nous portait mutuellement sur les nerfs et que nous arrivions à nous disputer, ce qui ne nous était jamais arrivé auparavant.

J'en accusais le temps. Je ne pouvais, je ne voulais, en juger autrement. Il y avait comme un mauvais sort sur nous !

Et puis, un certain jours, alors qu'il ne nous restait plus que trois jours de congé, je m'éveillai par une matinée splendide. J'en restai bouche bée.

Les couleurs étaient inimaginablement belles et pures, comme lavées par les pluies précédentes. Les roches sombres, une mer de cobalt, de grandes mouettes jouant avec les vagues, tout était admirable.

De ma fenêtre j'aperçus quantité de gens sortant des hôtels avoisinants et du nôtre, en maillots de bain et nombreux étaient ceux qui avaient une planche de surf sous le bras.

J'adore le surf et je suis assez bonne dans ce sport. Ainsi, pensai-je, la chance est en train de tourner.

J'ignorais alors ce que le sort me réservait ce jour-là...

Lorsque j'avais rejoint David, à la table du petit déjeuner, j'avais chanté les louanges du temps sous tous les tons majeurs. Mme Channing prenait ce repas dans sa chambre.

— Nous allons pouvoir nager, dis-je. Nager enfin, pour la première fois depuis que nous sommes ici. Passer toute la matinée sur la plage. Quelle chance !

David avait répondu à mon enthousiasme par un regard troublé, évasif. J'aurais donc dû être sur mes gardes.

— J'ai promis à maman de l'emmener à Truro, répondit-il enfin.

Je cillais un peu, mais je ne pouvais croire qu'il persisterait dans son projet.

— Oui, je sais, dis-je, mais elle comprendra. Elle sera d'ailleurs très bien au soleil sur la plage.

— Elle a décidé que nous irons à Truro, Kate.

— Vous lui en avez donc parlé, ce matin ?

— Je sors de sa chambre. Je pensais qu'elle aurait changé d'avis en voyant le temps, mais ce n'a pas été le cas, chérie. Elle veut aller à Truro comme prévu.

— Tout de même ! Un tel gaspillage ! Ce temps magnifique, le passer dans une vieille ville, même pittoresque...

Je pense que je devais avoir l'air querelleur. Un regard triste apparut sur le visage de David.

— Vous savez bien que je ne peux pas la contrarier. Le médecin... Nous devons faire ce qu'elle demande.

— Nous ne « devons » rien du tout, éclatai-je.

Vous ferez ce que vous voudrez, mais ne comptez pas sur moi. Je fais du surf.

— Vous n'avez pas besoin de prendre cette attitude, Kate.

Il était maintenant monté sur ses grands chevaux, le nez impérieux, le regard hautain.

Même le voyant ainsi, je ne pus céder. Il fallait que je mette les points sur les i une fois pour toutes.

— Je sais que votre mère a été malade, dis-je, mais vous êtes totalement sous sa coupe. Vous en faites beaucoup trop !

— C'est vous qui ne comprenez pas. Je suis dans l'impasse.

— Très bien. Nous nous retrouverons au lunch.

J'avais réussi à prendre un ton calme. Je ne voulais pas me quereller avec David. J'en restais toujours meurtrie. Je posai ma main sur son bras. Un geste d'excuse. La branche d'olivier...

— Nous déjeunerons à Truro, répliqua-t-il, la voix brève.

Je commençai à trouver la mesure comble.

— Eh bien, faites-le ! Faites-le donc ! Je vous verrai alors à dîner. Sauf si vous décidez de passer la nuit là-bas.

La réplique était enfantine et sotte, je le savais, mais je n'avais pu la retenir. Quant à David, sa serviette jetée sur la table, il était parti sans un mot.

Revenant en arrière, oh ! souvent ! trop souvent ! je sentais que c'était cette minute qui avait tout changé. A cet instant, j'aurais encore pu sauver sa vie. Si je l'avais suivi, si je m'étais excusée, tout aurait été différent.

Il n'aurait pas été aussi contrarié. Mais j'avais été aussi entêtée que lui, et j'étais partie pour la plage, ma planche sous le bras, avec d'autres clients de l'hôtel.

Au début, cela avait été merveilleux. La mer était agitée, juste ce qu'il fallait pour que ce sport soit parfait. J'eus vite fait de retrouver toute mon habilcté et je bondissais sur les vagues.

Puis, soudain, tout avait changé. Je ne pouvais me passer de David. Je voulais qu'il soit avec moi, qu'il rie, qu'il saute aussi. Sans David, rien ne m'intéressait plus.

J'étais repartie à toute allure vers l'hôtel. Je me vois encore, remontant le remblais en courant. Ils n'étaient sans doute encore pas partis. Madame Channing ne se levait pas de bonne heure. David serait heureux de me voir céder. Mais je devais me dépêcher, me dépêcher... Une prémonition, peut-être...

J'étais hors d'haleine en arrivant à l'hôtel.

A la réception, je trouvai deux policiers, le visage grave. J'avais déjà compris. Je jure que j'avais compris avant qu'ils ouvrent la bouche. Mais c'était pourtant trop tard...

La voiture de David avait quitté la route et heurté un arbre, moins de deux kilomètres après la sortie de l'hôtel. Madame Channing était à l'hôpital, choquée et atteinte de nombreuses contusions. David avait été tué sur le coup.

Aucun autre véhicule n'avait été impliqué dans l'accident. D'après les témoins, David avait pris le virage trop rapidement. La voiture avait dérapé. Madame Channing avait appris aux enquêteurs que son fils avait été fort contrarié dans la matinée et ne conduisait pas avec sa maîtrise habituelle.

Bien sûr, je m'étais sentie coupable. C'était à cause de moi qu'il était furieux. Pendant des semaines après l'accident, cette idée ne m'avait jamais quittée.

Mon père avait essayé de me faire entendre raison, mais il n'y était pas pleinement parvenu, car il y avait encore des nuits, maintenant, où je m'éveillais en sursaut et revoyais mon erreur. Des nuits où, en sueur, malade d'angoisse, je revivais ce drame.

Si je ne l'avais pas contrarié... Si je n'avais pas tellement discuté... Un conducteur en colère est un mauvais conducteur, m'étais-je souvent dit. Et David était en colère, très furieux, même, ce matin-là...

CHAPITRE III

Tom m'attendait à la gare quand j'arrivai à Mellerton. Je pouvais l'apercevoir à travers les croisillons du pont métallique, dangeureusement penché en avant, scrutant la foule au-dessous de lui.

Je me demandais pourquoi il était venu jusque là, car il le faisait très rarement. A cette heure-ci, six heures précises, il était généralement dans la cuisine en train de se confectionner un en-cas qui lui permettrait d'attendre facilement l'heure du dîner.

Je le vis avant qu'il ne me découvrît, et je ne pus m'empêcher de remarquer combien il avait changé ces derniers temps. Il avait toujours été un petit garçon souriant, et facile. Maintenant, il passait son temps à grogner ou à se plaindre d'une chose ou d'une autre. Il s'habillait n'importe comment et n'avait plus l'air soigné que j'aimais. Ses cheveux étaient emmêlés en mèches pâles.

Papa aurait trouvé à redire à un tel état de choses, s'il avait pu le voir. Sans son influence, Tom se laissait aller, se négligeait.

Cependant, quand il m'aperçut, son visage s'éclaira. Une lueur qui ne dura qu'un instant. Il se fraya un chemin dans la foule pour arriver jusqu'à moi et m'annonça d'un air dramatique, sans songer à me saluer :

— Katie, il est arrivé aujourd'hui !

— Qui ? demandai-je, en réprimant un petit cri lorsque quelqu'un me marcha sur le pied.

— Monsieur Goss, naturellement ! M. André Goss.

— Monsieur Goss ? Mais, Tom, il n'était attendu que dimanche !

— Nous le pensions, oui. Mais maman avait mal lu la lettre.

— Comment maman a-t-elle pu confondre ainsi ?

— Elle a lu dimanche pour vendredi. C'est très sot, non ?

— S'il te plaît, Tom !...

— Eh bien ! Que veux-tu, je dis ce que je pense. Elle ne prend jamais le temps de réfléchir.

C'était vrai et je ne pouvais guère donner tort à Tom, bien que ce ne fût pas chose à dire. Je n'appréciais pas sa façon de juger notre mère.

— C'est terrible, dis-je. Rien n'était prêt, ni les victuailles, ni le lait, ni... rien, quoi !

— Oh ! Nous nous sommes débrouillés. Tout va bien. Il y avait un poulet dans le réfrigérateur. Ils l'ont aimé, puis ils sont sortis chercher du lait.

— Ils ? Qu'est-ce que tu veux dire par « Ils » ?

Pour l'amour du ciel ! pensais-je, qui d'autre pouvait avoir accompagné André Goss ?

— Il est arrivé avec sa fiancée, mais il la raccompagne ce soir chez son père. Il voulait nous emmener tous déjeuner dehors ; Maman n'a pas voulu. Moi, j'en avais assez de rester là assis. Alors, je suis sorti promener Prud. Il s'est mis à pleuvoir, et c'est monsieur Willows qui nous a ramenés à la maison.

— A quoi ressemble-t-il, cet André Goss ?

— Sympa. Mais sa fille... Larmoyante, comme Dora, dans David Copperfield. Même sa voix est geignarde !

— Seigneur ! dis-je en pensant à ce qui avait dû se passer à l'arrivée de ces deux-là. Mère qui déteste être surprise ! Il faut que tout soit fin prêt. Elle n'aime courir aucun risque.

— Je t'ai bien dit que monsieur Willows m'avait ramené ? Il nous attend dehors, avec sa voiture. Prud est dans le fond.

— Parfait, dis-je.

Je pouvais voir la voiture du vétérinaire sur le talus, M. Willows parlait à quelqu'un assis sur le siège arrière. Ben, son fils, qui était un camarade de Tom. A côté de Ben, Prud, notre fox-terrier. Elle avait dix ans. Frétillante, elle nous accueillit chaleureusement, M. Willows m'ouvrit la portière.

— C'est très gentil à vous, dis-je, sincèrement.

— Cela m'a fait plaisir, répondit-il d'un air sérieux, en traversant la place où la pluie récente avait formé de véritables lacs.

— Sale temps ! dis-je. Ça n'a pas cessé en ville non plus.

Monsieur Willows était un voisin fort courtois, dans la cinquantaine. Il était resté bel homme, avec d'épais cheveux gris et des traits fins. Il n'exerçait en ville que depuis un an, mais à cause de Prud nous avions vite fait sa connaissance. Et surtout, Tom et Ben fréquentaient la même école.

Monsieur Willows, qui était veuf, était très gentil avec les enfants. L'ennui était que Tom n'appréciait pas tellement d'être souvent en compagnie de

Ben. Il le trouvait trop jeune. Il préférait aller pêcher seul, avec Prud. Tom avait toujours aimé la solitude. Depuis le départ de Père, il s'isolait encore davantage.

Il faisait chaud dans la voiture. Les glaces étaient embuées. J'en nettoyai un angle, de mon gant, et regardai les rues animées. On était vendredi, jour où les boutiques ferment plus tard.

Toutes les constructions de cette ville nouvelle sont en brique et, bien que rien n'y soit magnifique, l'ensemble est assez plaisant et gai. Les espaces verts y sont nombreux, même au centre, et l'agglomération entière est cernée par des bois : chênes et ormes de l'époque Tudor.

Notre maison s'appelait « Les Sorbiers » et n'était pas loin de la gare. Cependant, ce jour-là, Tom et moi aurions été trempés si nous avions fait la route à pied.

Pour le remercier, quand il nous déposa au portail, j'invitai M. Willows à entrer. Du reste, maman l'aimait bien. Nous entrâmes en groupe dans le hall.

Maman semblait éreintée, mais elle était animée et jolie. Elle est de celles qui rougissent facilement. Elle pourrait être très charmante si elle se souciait un peu plus de sa toilette. Je m'étais parfois demandé si elle appréciait les hommes... d'une certaine façon, et si ce n'était pas la raison du départ de papa.

Mais, quand elle vit entrer M. Willows, elle sourit et je vis que j'avais bien fait de l'amener.

— Tom et Ben ! s'écria-t-elle, allez à la cuisine. Il reste des sandwiches et du cake, pour vous.

Notre salon, ce soir-là semblait différent des autres jours. Plus gai. Une odeur de tabac y régnait.

Derrière une pipe en action, se trouvait un homme à lunettes près d'une fille blonde.

Le garçon, quand il se « déroula » mesurait bien un mètre quatre-vingt-cinq, et peut-être davantage. Même moi, je me sentais petite près de lui. Il était large d'épaules comme mon père. Ses yeux devaient être bruns, derrière les lunettes, mais ses cheveux étaient curieusement de la même couleur que les miens.

Quand je mis ma main dans la sienne, j'eus du mal à éviter un cri. Quelle poigne ! Mais il me plaisait. Il était du genre de la maison. C'est agréable de penser cela d'un hôte, fût-il payant...

Il présenta sa fiancée, Flora, gentillette et menue dans une robe bleue. Un ruban de même couleur dans les cheveux, réunissait ses boucles, de vraies anglaises. Oui, Tom avait raison. C'était la Dora de David Copperfield ressuscitée. Curieuse fille !

— Je vous aurais reconnue n'importe où, déclara André, tellement votre grand-mère vous a bien décrite.

Il avait une voix profonde, mais dépourvue d'accent écossais.

— Avez-vous fait bon voyage ? demandai-je, me servant du sherry, en même temps que M. Willows.

— Très bon, déclara-t-il, pince-sans-rire, si l'on tient compte de l'âge vénérable de ma voiture. Je me suis arrêté une nuit à Sheffield, puis à Leicester, où j'avais des amis à voir. Ensuite, j'ai attrapé Flora au vol, chez elle.

Il regardait avec indulgence la jeune fille qui avait posé une main sur son genou. Je pouvais dès cet instant me rendre compte que, malgré ou peut-être à cause de son air enfantin, Flora faisait grand effet sur les hommes. Monsieur Willows avait pris l'expression d'extrême timidité des mâles impressionnés par une fille et qui, sachant qu'ils n'en ont pas le droit, essaient de le dissimuler.

C'était très intéressant à observer ! J'avais très envie de rire mais maman paraissait contrariée.

— André et moi ne nous étions pas vus depuis cinq bonnes semaines, dit Flora, balançant ses boucles d'un geste de tête mutin.

Elle tripotait l'énorme diamant de sa bague de fiançailles en parlant, le faisant miroiter à la lumière. Il étincela davantage encore lorsque maman alluma le lustre. Dehors, la pluie tombait drue.

Un moment plus tard, Edward Willows dit qu'il devait partir. Il alla chercher Ben et bientôt on entendit leur voiture crisser sur le sable de l'allée.

Tom entra dans la pièce, suivi de Prud. La conversation languissait. Tom rompit le silence qui devenait gênant par une question qui l'était encore davantage.

— Kate, as-tu vu papa ? Comment va-t-il ? Irai-je bientôt ?

Je sentis l'embarras de ma mère, tandis que Flora, ouvrant largement ses yeux aussi bleus que des campanules, s'écriait :

— Oh ! Chère Fawcett, votre mari est à l'hôpital ? Quel malheur !

La rougeur qui envahit le visage d'André finit de me le rendre sympathique. Les verres de ses lunettes s'étaient embués, il dut les enlever et les nettoyer.

— Mon mari et moi nous sommes séparés, dit ma mère d'une voix claire. Et jamais je ne l'avais autant admirée.

L'effet fut dramatique sur Flora.

— Oh ! Je suis réellement désolée... J'ignorais... C'est vraiment affreux...

Une véritable rengaine. Allait-elle se taire à la fin ? Quand on a fait une telle gaffe, on n'insiste pas. Les répercussions ne se firent pas attendre. Tom quitta la pièce en coup de vent. Prud aboya comme une folle, pattes écartées, puis suivit Tom.

— Excusez mon fils, dit maman qui paraissait très contrariée. Naturellement, le départ de son père l'a beaucoup perturbé.

— C'est terrible pour vous tous !

Flora revenait à sa rengaine. J'essayai de lui faire changer de disque.

— Connaissez-vous bien notre région, mademoiselle Phelps ? demandai-je.

— Oh ! Appelez-moi Flora, comme tout le monde. Oui, je la connais bien, j'y ai toujours vécu. J'y suis née il y aura dix-neuf ans le mois prochain.

Elle semblait ravie d'avoir ainsi l'occasion de nous donner son âge, presque comme si elle savait que j'en avais vingt-quatre. Mathusalem, en somme !

— Je m'occupe de faire marcher la maison de mon père, depuis que maman est morte. Je trouve cela un travail très enrichissant.

— J'en suis bien certaine, dis-je poliment, heureuse de voir la conversation s'éloigner des sujets dangereux.

— J'ai rencontré André aux sports d'hiver, en Suisse. Il est venu à mon secours, lors d'une chute sur la piste des enfants. Je trouve très gentil que vous lui ayez donné asile.

Elle parlait de lui comme s'il eût été un chien perdu.

André continuait à sourire d'un air indulgent.

Ils partirent vers sept heures. Ils allaient dîner à l'auberge du Cœur Blanc à Saint-Alban.

Maman donna une clé au nouveau locataire.

— Rentrez quand vous voudrez, André, l'entendis-je lui dire gentiment.

Comme moi, elle l'avait adopté.

Dès qu'ils furent partis, Tom revint.

— Quand revient-il, maman ?

— Tard, sans doute. Tu seras sûrement couché.

Je fus contente qu'elle n'ait pas parlé de sa sortie maladroite.

— Sa fille est une vraie nouille !

— Tom ! Je t'en prie...

— Mais, c'est vrai ! Je me demande ce qui lui a donné envie de l'épouser.

Il quitta la pièce en traînant les pieds.

Quand il ne put pas nous entendre, maman et moi éclatâmes de rire.

— Je ne peux m'empêcher d'être d'accord avec lui, dit maman. Elle me paraît bien insignifiante.

— Elle me fait penser à la barbe-à-papa, dans les foires : ça fait beaucoup de volume pour pas grand-chose...

— Pas grand-chose dans la tête ! reprit ma mère.

— Nous n'en savons rien. Je pense qu'elle sait ce qu'elle veut.

— J'ai été paniquée quand je les ai vus arriver ce matin. Bien sûr, c'était ma faute. J'avais mal lu la lettre. Enfin, ça a fini par s'arranger, mais j'ai encore un lit à faire.

« A propos, j'ai invité cette Flora pour le lunch, avec son père, le psychiatre. Il paraît qu'il a une excellente réputation.

— J'en suis certaine, dis-je distraitement.

Mes pensées étaient retournées vers Paul Channing.

— Cette invitation ne t'ennuie pas, j'espère ?

— Oh ! Maman, bien sûr que non ! Pour ce soir, je préparerai une salade de laitue, une autre de tomates et poivrons, et nous mangerons le poulet froid.

— André Goss m'a plus immédiatement, reprit maman. C'est un garçon qui paraît aimable, solide. Très écossais. Il m'a rappelé la maison.

Le ton de maman était nostalgique, ce qui me fit lui répondre :

— Vous devriez regarder davantage devant vous, maman. Vers l'avenir et non vers le passé. Il y a beaucoup de choses en réserve dans le futur, j'en suis certaine. Je sais bien que ce n'est pas votre avis, pour le moment, parce que vous traversez une mauvaise passe...

J'entendis l'eau couler très violemment dans l'évier pendant quelques instants.

— Ton père t'a-t-il parlé de notre divorce ?

— Oui. Il me l'a annoncé.

— Et toi ? En parleras-tu à Tom ?

— Oh ! non ! mère, non !

Je la regardai, scandalisée. Je ne pouvais croire qu'elle me laisserait ce fardeau.

— Non, dis-je. Ce n'est pas possible ! Ce n'est pas mon affaire.

— Il le prendra mieux, venant de toi.

— Pourquoi ?

— Tu es sur sa longueur d'ondes bien plus que moi, plus proche de lui par ton âge.

C'était tout à fait faux, pensai-je. Entre onze et vingt-trois ans, il y a un fossé aussi large que la Manche. Pourtant, elle avait sans doute raison. Il le prendrait mieux venant de moi. Il semblait se rapprocher un peu de moi depuis le départ de papa.

— Et bien, soupirai-je. Je le lui dirai. A la première occasion. Promis !

— Merci, ma chérie. Je le savais.

Maman semblait satisfaite. Elle m'avait remerciée de la même voix que lorsque j'avais promis de revenir coucher à la maison. Elle avait de la joie à constater que je ne lui en voulais pas de la situation actuelle. Ce n'était pas tout à fait vrai, pourtant. Mais, c'était elle la plus faible. Comment n'aurais-je pas été attendrie, malgré moi ?

Je me demandais ce qu'elle penserait de ma rencontre avec Paul. Je ne lui en avais pas encore parlé. Je me demandais si je le ferais.

Je décidai que cela pourrait, au moins, attendre. Nous avions assez de sujets de réflexion pour les prochains jours... Les affaires les plus urgentes d'abord.

*
* *

La première chose qui me vint à l'esprit, le lendemain matin, en faisant ma toilette et en m'habillant, fut la promesse que j'avais faite de parler du divorce de nos parents à Tom.

Je décidai que je devrais le faire très calmement, sans émotion visible, comme une chose qui découlait naturellement de leur actuelle séparation.

Ce n'était pas un message qui me plaisait à transmettre. J'en étudiai chaque mot en enfilant ma jupe. Je passai ensuite un pull over à col roulé qui suffirait peut-être à m'éviter de mettre un manteau.

C'était une très belle matinée, après cette grosse pluie. Un de ces matins où la lumière semble douce comme du miel, une lumière particulière à septembre.

Je brossais mes cheveux longuement et soigneusement, et les coiffais à la vierge de chaque côté de mon visage. Ils descendaient plus bas que mes épaules. C'était un peu trop pour mon goût. Il faudrait que je les coupe légèrement. Je les remontai à hauteur du menton, puis les laissai retomber. C'était ma plus belle parure. Pourquoi les couper ?

Un regard à la fenêtre me montra une autre tête auburn. Elle appartenait à André Goss et surmontait un sweater jaune et un pantalon bien coupé, de brave tweed écossais.

Il marchait comme on marche quand on y a du plaisir, regardant autour de lui d'un air intéressé. Il bavarda un instant avec le laitier, s'arrêta pour considérer un bel arbre, se baissa pour caresser le chat du voisin, qui se frotta voluptueusement sur son pantalon de tweed.

Tom apparut au coin de la maison, pour la promenade matinale de Prud. Elle était tenue en laisse, car c'était « sa période » et, vieille comme elle était, il aurait été dangereux qu'elle se permît quelques fantaisies... Mais, visiblement, elle se faisait traîner, détestant sa laisse. Surtout quand elle aperçut le chat.

Je vis Tom et André rire de bon cœur en voyant filer le chat qui se réfugia prudemment dans un arbre, alors que la pauvre Prud devait se contenter d'aboyer frénétiquement.

Il est gentil, pensai-je d'André, quand je le vis accompagner Tom dans sa promenade. L'idée de prévenir mon pauvre petit frère me pesait déjà, bien avant le moment où je le ferais.

Tant pis, me dis-je alors, j'attendrai demain.

Aujourd'hui, pourquoi lui gâcher une si belle journée...

Notre villa, Les Sorbiers, avait trois pièces de réception, la plus utile étant celle qui s'ouvrait sur la cuisine. C'était une petite pièce qui donnait sur la partie arrière du jardin.

Nous y prenions toujours nos repas, sauf lorsque nous étions plus de quatre. Dans ces cas-là, nous nous transportions avec cérémonie dans la véritable salle à manger, de l'autre côté du hall.

Pour l'instant, le couvert était mis pour le déjeuner dans la petite pièce et maman était dans la cuisine, en train de faire cuire le jambon et les œufs. Je l'y rejoignis et me mis à tartiner les toasts. C'est tout ce que je peux réussir à avaler le matin, en dépit de tous les conseils des diététiciens.

André et Tom revinrent et nous nous installâmes autour de la table. C'était curieux mais plutôt agréable d'avoir un homme de nouveau dans la maison.

Je me demandai pourtant si notre hôte appréciait l'épais porridge que ma mère avait fait en son honneur. Je crois qu'il le mangea avec plus de stoïcisme que de plaisir. Il faudrait que j'en parle à ma mère.

Ce n'était pas un sujet de conversation pour l'instant, en tout cas. Je me creusai donc la cervelle pour en trouver un autre. Comme toujours dans ces cas-là, je fus brusque :

— Eh bien, que pensez-vous de nous ? demandai-je tout à trac à André qui sembla considérer le problème avant de me répondre.

— Je pense, dit-il enfin d'un ton sérieux, que je suis très content d'être chez vous. L'endroit où l'on demeure a une très grande importance. Ici, je me sens chez moi.

— Merci, André, répondit vivement ma mère, avalant tout le compliment d'une seule bouchée.

Et le regard qu'elle me lança était celui d'un triomphe tranquille. J'y lus : « Je te l'avais bien dit ! » J'espérais ne pas me tromper. Si avoir un pensionnaire dans la maison lui semblait si agréable, pourquoi n'en prendrions pas un autre après le départ d'André ?

— J'ai à peine une petite idée du voisinage, était en train d'expliquer gentiment André. Je n'avais jeté qu'un rapide coup d'œil dans Mellerton quand je suis venu pour un entretien avec le directeur du collège. Flora n'est pas libre avant cet après-midi. Je serais content de visiter, à la fois le vieux et le nouveau Mellerton. Je pense que ce sont deux agglomérations fort différentes, et séparées.

— Le vieux Mellerton, le village original, est certainement le mieux, dit Tom. C'est dans cette partie de la rivière que je vais pêcher. Il y a aussi du cresson. J'aide à le couper quand c'est la saison. De janvier à juin.

— Nous ne prenons pas notre lunch avant une heure et demie, intervint maman. Vous aurez tout votre temps. Inutile de vous presser. Je suis sûre que Kate sera heureuse de vous piloter. N'est-ce pas, chérie ?

— André préfère peut-être faire la visite tout seul.

Mère avait l'habitude assommante de faire des plans pour tout le monde, sans prendre l'avis des intéressés. Comme je levai ma tasse de café, André me regarda et je pus, pour la première fois, étudier sa physionomie. J'aime regarder le visage des gens.

Cela me donne des idées, purement professionnelles, du reste.

Donc, je jetai un regard professionnel sur André. Non seulement ses cheveux avaient la même teinte que les miens, mais ils avaient aussi la même vague sur le devant. Ses yeux étaient d'un brun clair.

Je les voyais bien pour la première fois, car il n'avait pas ses lunettes, ce matin. J'y distinguais de petites paillettes dorées qui semblaient briller d'amusement, tandis que je le considérais, sans doute avec trop d'attention.

Sans ses lunettes, il semblait beaucoup moins solennel, moins professeur. Solennel n'était sans doute pas le mot exact. Il vaudrait peut-être mieux dire studieux.

Malgré son teint assez pâle, il semblait en bonne santé, robuste. Sa bouche était bien dessinée, mais ce qui frappait le plus c'était le menton, carré, agressif, accusé. Sans doute volontaire. C'était étonnant, quand on l'avait vu sourire avec indulgence aux minauderies de Flora. Cependant, mes observations n'avaient porté que sur la forme, l'apparence. Derrière un abord agréable, cet homme était dur, pensai-je. Peu de choses pouvaient l'entamer.

— J'allais justement vous demander si vous pouviez m'accorder un peu de votre temps, ce matin.

Il continuait à me fixer.

— Oui, je suis libre. J'ai simplement les commissions à faire. Je serai heureuse de vous montrer Mellerton.

— Et Tom ? Viendra-t-il aussi ?

Mon frère rougit. Il parut heureux qu'on ait pensé à lui.

— Non, dit-il cependant, d'une voix aimable,

tout en faisant comprendre qu'il avait pris fermement sa décision. Je vais toujours à la pêche le samedi. J'appartiens à un club de pêche, mais, la plupart du temps je préfère pêcher tout seul en choisissant mon coin.

— Qu'est-ce que vous attrapez ?

— Généralement des goujons. Mais j'ai pêché une truite, un jour ! ajouta-t-il fièrement.

— La pêche est un sport très agréable.

— Oui, je le pense aussi. Un sport épatant !

Ils étaient encore en train de bavarder quand maman et moi débarrassâmes la table. Ensuite, je fis la liste des courses.

Nous décidâmes de commencer la visite par la ville nouvelle, puis d'aller en voiture visiter l'ancienne.

— Souvenez-vous, dis-je au départ, que la ville nouvelle n'est pas jolie. On n'a rien laissé au hasard. Tout y a été calculé, et c'est assez monotone. Il faudra des années pour qu'elle prenne un peu de caractère.

— Je le pensais aussi, répondit-il simplement.

— Mais elle a ses avantages. Elle est surtout commode. Tout y est accessible facilement, les boutiques, comme la bibliothèque municipale et les cinémas. Il y a des parkings partout. Et, bien sûr, elle déborde de vie et d'activité. Je ne vous parle évidemment pas de votre école, que vous connaissez déjà.

— Je n'ai encore jamais enseigné la philosophie.

— Est-ce que vous le redoutez ?

— Mais non !

Il semblait surpris de ma question.

— Je ne suis pas du tout ennemi du changement. Il faut évoluer avec l'époque. Ce sera une expérience intéressante.

— Et si vous ne pouvez arriver à.... dominer votre classe, je veux dire, vous faire entendre ?...

Je ne sais pourquoi j'avais dit ça. Dominer était une expression que je détestais.

— Je ne l'envisage pas, dit-il. Je n'ai jamais échoué quand je faisais quelque chose que j'avais à cœur.

Il fit entrer la vieille Austin dans le parking du supermarché où j'avais mes achats à faire. Epicerie surtout. Il freina, et m'ouvrit la portière.

J'avais aimé sa réponse. Il avait des vues fort élevées de son métier. J'avais les miennes, aussi, mais je n'étais pas sans défaillance. Je me demandais s'il en avait aussi...

— Vous êtes venu dans la région, à cause de votre fiancée, je suppose ? dis-je tandis que nous prenions un café au petit bar du supermarché.

— Oui, bien sûr. A cause d'elle.

Son expression s'était adoucie, comme si le simple fait de l'évoquer était une félicité.

En moi, cette évocation n'appelait que défiance. J'étais sûre que sous ses airs sucrés, cette fille n'était pas aussi candide qu'elle ne voulait le faire croire. Ni aussi bonne.

— Ce changement vous a ennuyé ?

Dès que j'eus posé la question, je le regrettai. Il pouvait penser que cela ne me regardait pas. Je risquais de le gêner.

— Pas ennuyé du tout ! J'aime et je bénis le changement.

Je trouvais qu'il y mettait un peu trop d'emphase. Peut-être n'était-il pas aussi sûr qu'il le montrait ? Pauvre garçon ! pensai-je. Epris d'une fille qui est loin de le valoir, gâtée, depuis sa naissance...

— Flora n'aurait jamais quitté le sud, était-il en train de m'expliquer. Elle se plaît ici.

— Bien sûr, dans ce cas...

— Elle est très dévouée à son père. Sa mère est morte, vous savez. Depuis ce temps-là...

— Elle a essayé de la remplacer, sans doute.

— D'une certaine façon, sûrement, dit-il, réfléchissant.

Il avait baissé les yeux, et ses cils faisaient une ombre sur sa joue. Ils étaient épais et sombres comme ceux de Paul.

— Les parents ont tendance à se rapprocher de leurs enfants quand les enfants eux-mêmes sont devenus adultes, dis-je, moqueuse.

Je pensais le voir sourire, mais il restait soucieux, les yeux toujours baissés, le visage tendu. J'avais eu tort d'amener la conversation sur ce terrain. Je cherchais une diversion, sans la trouver. Mes pensées revenaient toujours à Flora.

— Pensez-vous vivre près d'ici quand vous serez marié ?

— Oui, dit-il, en relevant les paupières.

Je regardai un instant les petits reflets dorés où semblait se refléter une anxiété intérieure.

— A Thasted Wood, mais pas avec le professeur, précisa-t-il enfin.

— Il est beaucoup mieux d'être chacun chez soi.

— Nous nous marierons le soir de Noël murmura-t-il en souriant.

C'était la première fois que je le voyais sourire, vraiment. Ses dents étaient fortes, régulières et carrées.

— Noël est une période magnifique !

— Surtout le soir du réveillon, ajouta-t-il.

J'étais en train de calculer combien de temps nous en séparait. A peine trois mois et demi.

Prendrions-nous, alors, un autre pensionnaire ou papa serait revenu ? Noël était une époque magique. Si maman voulait bien mettre sa fierté de côté, faire un effort pour nous réunir, j'étais sûre que ce serait possible. Non pas seulement à cause de Tom, mais pour elle aussi. La quarantaine n'est pas un âge à rester seule.

Je soupirai. Je tâcherais de voir si, vraiment, il n'y avait rien à faire. La procédure n'était pas encore en cours. Mais, jusque-là, j'avais devant moi, bien plus proche, la corvée d'annoncer la nouvelle de ce divorce à Tom.

— Kate...

La voix d'André me tira de mes spéculations.

— Oui ? Vous voulez partir ? dis-je, attrapant mon sac.

— Il y a une femme derrière nous qui nous regarde fixement depuis dix minutes. Ne vous retournez pas, je vais vous la décrire. Petite, mince, une soixantaine élégante. Fume une cigarette à l'aide d'un fume-cigarette démodé. Elle est avec une autre femme que je crois avoir déjà vue.

— Ça ne me dit rien : commençai-je.

Puis, soudain je me figeai. Un fume-cigarette démodé...

— Un visage aigu, plus que mince ? demandai-je.

— C'est tout à fait ça.

— Je pense que c'est madame Channing, dis-je, la gorge sèche.

— Elles arrivent toutes les deux vers nous. Ah ! Je sais ! La rondelette, c'est Miss Field, que j'ai rencontrée au collège quand je suis venu prendre contact avec la direction.

André se leva et, lorsqu'il fut debout, j'en fis autant, et regardai autour de moi.

— Mais, c'est bien Kate ! J'avais peur de m'être trompée.

Madame Channing était devant nous, la main tendue.

— Bonjour, madame Channing, je suis très heureuse de vous revoir.

Que nous sommes donc tous menteurs, en société ! La main de Mme Channing était joliment gantée ; elle était toute petite dans la mienne. Quant à son regard, il était aussi glacial que dans mon souvenir. Des yeux noirs, froids, petits et aigus comme elle...

André connaissant déjà Miss Field, ils commencèrent à parler ensemble. Ainsi, nous nous trouvâmes séparés en deux paires.

Je cherchais mes mots.

— Ainsi, vous êtes revenue d'outre-mer ?

Même pour sauver ma vie, je n'aurais été capable de lui parler de ma rencontre d'hier avec Paul. Pourtant, j'en avais grande envie, mais un je ne sais quoi m'en empêchait. Les mots n'arrivaient pas à se former. Et quand l'occasion de le lui apprendre serait passée, je ne pourrais jamais plus en parler.

— Me voilà de retour pour de bon, dit-elle. Je suis chez Ellen pour quelque temps.

— C'est merveilleux, pour toutes les deux !

Un mince sourire écarta à peine les lèvres de Mme Channing.

— Ellen est très heureuse de m'avoir.

Sa bouche était bien dessinée et parfaitement fardée.

Mademoiselle Field habitait assez près de nous. David venait la voir quand nous nous étions rencontrés, dans le bar du train de Cambridge qui avait déraillé près de la Croix du Roi. Nous avions échangé quelques mots, et nous nous étions revus le lendemain.

C'est peu de temps après que nous nous étions aperçus que nous nous aimions.

— J'espère persuader Sylvia de rester quelques semaines près de moi, dit Mlle Field, en se tournant vers moi. C'est ma plus proche parente. Les liens familiaux sont importants, non ?

— Très, dis-je, me sentant de plus en plus raide et gênée, impatiente de les voir s'éloigner.

Comme les deux sœurs, étaient différentes ! pensai-je. L'une, la mince, était tirée à quatre épingles, l'autre, la ronde, vêtue n'importe comment.

— Sylvia, vous n'avez pas parlé de Paul à Kate ? Paul, ajouta-t-elle pour moi, est mon filleul, le jumeau de David.

— David m'avait beaucoup parlé de lui.

Mais, de nouveau, les mots se bloquaient dans ma gorge à l'idée de parler de cette rencontre. Du reste, il devenait clair que Paul n'en avait pas parlé non plus. Il était réellement bien différent de David...

Comme Mlle Field et André se remettaient à parler « boutique » Mme Channing regarda sa montre et dit :

— Je pense que nous devrions rentrer, ma chère. Ces jeunes gens ont bien mieux à faire que bavarder avec nous.

Elle avait réussi à prononcer ces quelques mots sur un ton qui sous-entendait un monde ! Mes jambes tremblaient lorsque, un instant plus tard, nous quittâmes le bar, pour nous rendre à la bibliothèque municipale où je désirais trouver quelques documents. J'étais encore si troublée que, maladroitement, je heurtai le coin d'un comptoir, faisant tomber une pile de livres.

— Vous ne vous êtes pas fait mal ? demanda André, courbé pour les ramasser

— Non, merci. Enfin... plus ou moins...

Sa main se glissa sous mon bras pour me soutenir. Je pouvais me rendre compte qu'il me fixait avec attention.

— Allons nous asseoir un moment dehors, dit-il Il fait étouffant là-dedans.

CHAPITRE IV

André continuait à m'observer attentivement, en m'entraînant à travers la foule de clients, étudiants, gens de la ville. Il m'installa près de la fontaine. Le chuintement de l'eau était rassurant, reposant.

— Pourquoi êtes-vous si pâle ? demanda-t-il. Et ce regard vague... Cela a-t-il un rapport quelconque avec la rencontre de ces deux femmes ?

Ce n'était sans doute pas nécessaire, mais je lui dis la vérité. Pourquoi en avoir honte ?

— Madame Channing est la mère de David, mon fiancé. Il s'est tué dans un accident de voiture. Ma grand-mère a dû vous en parler.

— En effet, elle m'en a parlé. C'est une chose terrible qui vous est arrivée !

Je ne répondis pas. Je regardais fixement la fontaine.

— Ainsi, ce Paul...

— C'est le frère jumeau de David. Je l'ai rencontré hier pour la première fois. Il est venu me voir à Londres et nous avons parlé.

— Je vois...

— J'en doute, dis-je.

Je lui souris et me sentis mieux, immédiatement.

— Vous devez vous demander pourquoi je n'ai fait allusion à cette rencontre, que maintenant. La raison est à la fois simple et difficile à expliquer. Madame Channing me bloque, en quelque sorte. En sa présence, je me sens crispée intérieurement. Elle me blâme pour la mort de son fils.

— Vous vous l'imaginez, sans doute !

Sa réponse m'ennuya. Il alluma une cigarette et se mit à fumer sa pipe.

— Mon père m'a dit exactement la même chose, dis-je. Mais il a ajouté que David avait eu tort de conduire sa voiture étant en colère. Il devait savoir que cela lui enlevait une partie de sa maîtrise.

— Qu'est-ce qui l'avait mis dans cet état ?

— Moi, bien sûr !

— Parlez-m'en, si vous en avez envie.

Il ne semblait pas particulièrement intéressé, mais très bon. C'est pourquoi je me trouvai, un instant plus tard, en train de tout lui raconter. Il m'écoutait attentivement, fumant sa pipe, dans le murmure calmant de la fontaine.

— Mais, dit-il quand j'eus terminé, c'était à cause de madame Channing que vous aviez abandonné vos vacances en Grèce. David n'aurait même pas dû se trouver en Cornouailles, à ce moment. Y avez-vous pensé ?

— Non.

— Si l'on poursuit le raisonnement, c'est donc sa faute à elle.

— Elle ne pouvait s'empêcher d'être malade.

— Elle pouvait s'empêcher de vous encombrer. Elle aurait pu aller chez sa sœur, vous laisser des vacances libres.

— C'est curieux que vous me disiez ça, mademoiselle Field le lui avait offert.

— Eh bien, tout est fini ! Nous sommes allés au bout du raisonnement.

Je restai silencieuse. Je n'étais pas d'accord. André prenait trop la cause pour l'effet, pensais-je. Peut-être eut-il la même impression, car il resta silencieux, comme moi, un bon moment. Puis il secoua sa pipe pour la vider, la remit dans sa gaine et revint s'asseoir près de moi.

— C'est arrivé, Kate. On n'y peut plus rien. Les regrets n'y changeront rien.

— Je ne peux m'empêcher d'y penser constamment.

— Certains, dit-il d'un ton pensif, disent que notre destin est écrit dès le jour de notre naissance.

Cela me choqua. J'eus envie de m'écrier : par qui ? André était-il un Ecossais fataliste ?

— Sûrement, vous ne croyez pas ça ? Vous ne pouvez le croire !

— Je pense simplement que cela *pourrait* être. Il n'y a de certitude nulle part ; mais ce pourrait être la destinée... ou le sort...

J'aimais encore moins la seconde remarque que la première. Me voyant frissonner, il me prit par le bras.

— Allons, venez ! Ce n'est pas une conversation pour un samedi matin. Nous avons encore pas mal de courses à faire.

Il se pencha vers moi, son souffle effleurait ma joue.

— Ne vous méprenez pas, Kate. Je ne suis pas en train d'essayer de jeter la lumière sur la mort de David. Mais je pense seulement que cela pourrait avoir été inévitable.

— Alors, c'est dur pour lui. David n'avait pas trente ans.

— Certains ont encore moins de temps à passer sur terre.

Il avait raison et je le savais, mais cela ne m'apportait aucun réconfort. Je détestais ce mot : inévitable.

*
* *

Le professeur Phelps et Flora arrivèrent très exactement à midi, le lendemain, dimanche, dans une Rolls métallisée.

Tom surveillait leur approche de la fenêtre de sa chambre.

— Kate, cria-t-il. C'est une Rolls ! Une Rolls, tu comprends ? Ils doivent être fameusement riches !

Il avait tourné vers moi un visage très impressionné. Je fis de mon mieux pour le calmer.

— Seigneur ! Tais-toi donc ! Qu'est-ce qu'André va penser de nous.

Mais je n'avais pas besoin de m'inquiéter. Il ne pouvait entendre. Il était dehors, devant le portail ouvert à deux battants, pour les accueillir. J'entendis le claquement des portières et maman arriver, venant du fond de la cuisine.

Prud aboyait de toutes ses forces.

Je jetai un coup d'œil, dans le miroir de ma chambre, sur ma robe de jersey vert sombre, sur mes cheveux retenus en arrière de la nuque par une barrette. Cette coiffure, sévère, très dépouillée, me donnait l'air hautain. Ainsi, je faisais un certain effet. Si je ne pouvais être réellement jolie, je pouvais en tout cas montrer avec une certaine satisfaction, « de la classe », comme disait papa.

Je sortis accueillir nos invités : la menue Flora au bras d'un homme grand, au regard gris acier, comme ses cheveux.

— Mon père, le professeur Phelps, le présenta-t-elle avec un sourire de petite fille. C'est si aimable à vous de nous avoir invités tous les deux...

Elle était pendue à son bras et ne le quitta que lorsque mère et lui se serrèrent la main.

J'avais eu le temps de l'examiner avant qu'arrivât mon tour d'être saluée. Il était moins grand qu'il ne m'avait paru au premier instant. Mais c'était à cause de sa minceur. Une véritable corde filiforme et régulière de haut en bas. Pour la couleur, j'avais bien jugé, une symphonie de gris. Gris, les yeux ; gris les cheveux ; gris le costume. Et même les chaussures.

Pour la forme, ma comparaison n'avait pas été heureuse. Il fallait plutôt penser à une épée. Je me demandai avec un peu d'irrévérence comment il faisait tenir son pantalon à sa taille. Même le pince-nez, en équilibre précaire sur l'arête fine du nez, semblait prêt à glisser.

— Ah ! Chère mademoiselle Fawcett ! dit-il en me serrant les doigts dans une prise martyrisante.

Je commençai à comprendre pourquoi mère continuait à se frotter les mains... Flora avait repris possession du bras du professeur, et s'écriait :

— N'est-ce pas, père, que André a eu de la chance d'être ainsi accueilli !

Elle recommençait le numéro « chien perdu » de la veille, mais son fiancé ne semblait y attacher aucune importance. Il avait son bon sourire et ils s'assirent ensemble sur le canapé.

J'éprouvai un petit sentiment d'envie lorsque je le vis lui prendre la main. J'imaginai sottement qu'elle devait avoir la paume humide. Mais il était bien évident qu'André était aux anges.

On servit les boissons. Tom et moi choisîmes une limonade, mère et André un vermouth, Flora, un jus d'orange et le professeur... un verre d'eau.

Je n'avais pas voulu d'alcool, car une migraine tenace m'avait fait souffrir toute la nuit. Quant à Phelps, il expliqua, en ajoutant deux cubes de glace à son eau, qu'il n'avait rien contre l'alcool, mais qu'il n'en avait jamais connu le goût.

Il ne prenait pas davantage de boissons sucrées. C'était réellement à l'eau qu'allaient ses préférences. Il en buvait, précisa-t-il, au moins trois litres dans la journée.

— Très intéressant ! dit maman, sans pouvoir cacher sa surprise.

Prud était allongée sur le tapis, les pattes de devant étendues, la tête posée dessus. Elle semblait compter les points de la rencontre. Cela donnait assez bien l'atmosphère de la réunion.

Les conversations, pendant le repas, nous divisèrent en trois groupes. Maman et le professeur, Flora et moi, raide et tendue. Elle, très chatte, semblant pleinement satisfaite d'elle-même, très originale, sans doute, en me disant, souriante et câline :

— André et vous pourriez être parents. Même couleur de cheveux, même taille au-dessus de la moyenne, même carrure.

J'avalai en hâte une grosse bouchée de mon rôti. Quand le mot carrure est appliqué à un homme, c'est parfait. Quand il est utilisé pour me décrire, je lui trouve une signification toute différente. Et je suis certaine que Flora le savait. Elle l'avait fait sciemment. Derrière ses petites pattes doucereuses, il y avait des griffes.

— Etre grand offre bien des compensations, dis-je. On peut porter n'importe quel genre de vêtements. Et c'est également très pratique pour peindre des murs ou poser des tentures... Je peux le faire sans me mettre sur la pointe des pieds.

— Je n'ai jamais fait un tel travail ! Nous avons un ouvrier pour ça, répondit Flora d'un air suffisant.

— Quel métier faites-vous ? me demanda alors le professeur de sa voix profonde.

Lorsque je lui appris que je faisais des illustrations, il s'exclama :

— Excellente thérapie ! Très bon pour la relaxation du cerveau.

— Ma fille fait cela pour gagner sa vie, répondit ma mère, d'une voix plutôt acide.

Je fus surprise de l'âpreté du ton.

Ensuite, André bavarda avec Flora, et Tom me donna un petit coup de pied sur la cheville. Il avait du mal à cacher son fou rire derrière ses deux mains. Durant ce temps, Prud grognait comme un vrai petit lion. Dans l'ensemble, ce repas fut assez pénible.

Le lunch terminé, comme il faisait chaud, nous sortîmes les sièges de jardin, et nous installâmes sur la pelouse fraîchement tondue. Le professeur s'endormit, toujours aussi droit naturellement, son pince-nez oscillant dans la brise légère.

Pourtant, il n'était pas tellement vieux ! Peut-être cinquante-cinq ans, et encore fort bien conservé. Soporifique, pensai-je alors. C'était tout à fait le mot qui le décrivait avec le plus de réalisme.

Il était certainement extrêmement intelligent, d'une intelligence pénétrante, profonde. C'était indispensable pour le genre de travail qu'il accomplissait. Avec succès, m'avait-on dit.

Les gens sont intéressants, parce qu'il sont tous très différents. Pourtant, nous avons tendance à les grouper en catégories. Est-ce que David et Paul confrontés l'un à l'autre auraient été très différents ? Je le pensais très sincèrement.

Je me sentais nerveuse, incapable de rester en place. Je ne tenais pas sur ma chaise. Maman tricotait tranquillement un sweater pour Tom. Celui-ci était dans le hangar, choisissant ses instruments de pêche. Il avait très envie de nous brûler la politesse pour aller taquiner le poisson.

— Je peux y aller, maman ? Je ne peux rien faire ici.

— Alors, va ! dit ma mère d'un ton las.

Mais elle n'avait pas l'air content.

— N'oublie pas de passer prendre Ben, lui recommanda-t-elle. Et ramène-le pour le thé avec son père, s'il en a envie.

— O. K. je le ferai, promit Tom, heureux de s'éclipser.

Quelques secondes plus tard, sa bicyclette crissait dans l'allée. Il n'avait pas demandé son reste...

André et Flora étaient partis en voiture. Celle de notre locataire, pas la Rolls. Ils devaient être en ce moment, pensais-je, discrètement garés, dans les bras l'un de l'autre.

Ma nervosité était désagréable. J'essayai de lire un peu et abandonnai. Maman dodelinait de la tête sur son tricot. Sa pelote était dans l'herbe, bleue sur le vert de la pelouse. Une tache bleue. Une tache ronde...

J'avais envie d'aller chercher mon carnet de

croquis. Les doigts m'en démangeaient. Puis brusquement, je changeai d'avis. J'allais promener Prud. Elle était nerveuse, elle aussi. Elle avait eu envie de suivre Tom, mais lorsqu'il partait à bicyclette, c'était trop fatigant pour la pauvre vieille.

Quand j'attrapai son harnais, elle se mit à pousser de petits gémissements de plaisir, et dès que nous eûmes franchi le portail, je sus que j'avais eu raison de sortir. Je me promis une longue promenade. Jusqu'au vieux Mellerton. Deux kilomètres pour aller et autant pour revenir me feraient le plus grand bien.

En même temps, je pourrais jeter un coup d'œil sur Tom en passant près de la rivière. C'était, à cet endroit-là, un paysage magnifique, et que j'aimais.

La journée était très belle, je ne comprenais pas pourquoi je me sentais si lasse et découragée. J'aurais voulu que père soit avec nous, j'aurais voulu que David fût vivant. Bref, je souhaitais toutes les choses impossibles !

La vue des deux amoureux Flora et André, était sûrement pour quelque chose dans mon état d'âme actuel. Il n'avait jamais été pire depuis la mort de David.

Faire le trajet quotidien de Londres à Mellerton, ne jamais passer le week-end avec des amis, tout cela avait rétréci mon horizon. Je prenais souvent mon lunch avec Mike, le préposé au département illustration chez Trent, mais il était du genre à espérer qu'un repas offert lui ouvrirait la porte de la chambre...

Il était un peu trop facile, trop léger pour moi. Et puis, il était en quelque sorte, mon employeur, et on ne doit jamais mélanger plaisir et travail. Paul l'avait dit excellement, et je l'avais pensé avant lui.

Que serait la soirée de demain avec lui ? Un peu d'excitation me venait quand j'y pensais. Un peu d'inquiétude aussi.

Je pris le sentier qui coupe au plus court sur Emsford. C'était un charmant petit hameau, qui pouvait se vanter d'avoir une épicerie, quelques très jolies demeures et, évidemment, la rivière, qui avait fait autrefois marcher le moulin. De l'autre côté de l'eau, le manoir d'Emsford et les bois.

Prud tirait et hahanait, furieuse d'être tenue en laisse mais je ne cédais pas. Je n'avais aucune envie de la voir menacée par un accident. Elle avait été accouplée, lorsqu'elle avait trois ans, à un superbe mâle de sa race. Et pas par hasard. Elle avait eu cinq chiots magnifiques, dont l'un vivait encore dans notre proche voisinage et dont elle ne se souciait pas le moins du monde. Elle le regardait même avec dédain.

J'aperçus de loin le pull de jersey vert de Tom et traversai le pont. Il pêchait, calme et silencieux comme un vieillard. Pas trace de Ben. Mais il y avait deux bicyclettes à l'ombre d'un orme.

— Je l'ai envoyé pêcher plus loin, m'expliqua Tom. On ne peut réellement pêcher à deux au même endroit. Tu t'embêtais ?

J'acquiesçai, et il me remercia d'avoir amené Prud. Celle-ci se roulait dans l'herbe. Quand elle était ainsi sur le dos, elle était visiblement un peu trop grosse. Pourtant elle ne mangeait pas tellement... Elle ne prenait sans doute pas assez d'exercice.

Tom quitta sa ligne pour aller se rouler avec

elle, lui faisant mille chatteries. L'adoration de Tom pour sa chienne m'inquiétait un peu. Les chiens ne vivent pas si vieux... Attendrait-elle qu'il ait quinze ans pour le quitter ?

Tom avait regagné sa place.

— Je crains que tu n'aies rien apporté à manger ?

— Bien sûr que si !

Je sortis de ma poche une barre de chocolat, oubliée là depuis quelques jours.

— Epatant ! Super ! J'en garderai un peu pour Ben.

Je me demandais à quoi mon jeune frère pensait quand il restait des heures à guetter le poisson. Devais-je le laisser s'isoler ainsi ? En le regardant, j'eus envie de lui parler maintenant du divorce des parents. J'hésitai encore un instant puis, je dis :

— Tom, j'ai quelque chose à te dire. Quelque chose de pas très agréable. C'est au sujet de papa. Lui et maman demandent le divorce.

Les mots me semblaient faire un bruit énorme, se répercutant dans les alentours. Divorce... divorce... divorce... Mais il fallait maintenant aller jusqu'au bout.

— Cela veut dire, Tom...

— Je sais ce que ça veut dire. Merci !

Il regardait droit devant lui. Lentement, il retira sa ligne de l'eau et la replia. Il avait fini de pêcher pour aujourd'hui. Je lui avais gâché son après-midi.

— Je sais ce que çà veut dire, reprit-il d'un ton neutre. Les parents de Simpson ont divorcé. Il vit avec son père. Ça lui est bien égal, ce divorce !

Sa mère était une mauvaise femme. Dans leur cas, c'était elle qui avait quitté la maison.

— Ça ne fait aucune différence.

— C'est là que tu te trompes.

— Mais, pourquoi ?

Il s'était dressé, rouge de colère, les traits crispés.

— Ecoute-moi, Tom ! Tu vivras avec maman, mais tu verras Père très souvent. Il désire te voir, passer des vacances avec toi. Vous vous verrez presque autant qu'avant, mais ton domicile sera à Mellerton, avec maman et moi.

— Parce que la Cour en a décidé ainsi ?

— Parce que la Cour le décidera.

— Toi, tu t'en fiches ! Tu te marieras et tu fileras.

— Je n'y pense absolument pas.

J'essayai de prendre un ton de plaisanterie, mais je savais que ce n'était pas une réussite. Tom sembla encore plus triste.

— Katie, quand tu te marieras, est-ce que je pourrai venir chez toi ? J'aimerais bien. Ce serait épatant ! Je pourrais amener Prud. Tu sais que je me débrouille bien. Je fais mon lit. Je n'ai pas envie de rester avec maman.

Je regardai le clair regard implorant, les taches de rousseur, plus apparentes au soleil. Et je me sentais aussi en détresse que lui. Comment s'en tirerait-il ? Les garçons sont si maladroits...

— Maman ne t'empêchera jamais de voir papa. Et quant à vivre avec moi, je peux ne pas me marier avant des années. Tu seras un homme à ce moment, et capable de vivre exactement comme tu l'entendras.

Il me lança un regard qui disait clairement que je le laissais tomber, que je lui manquais au moment où il avait le plus besoin de moi. Il s'éloigna brusquement, sans un mot. Bien sûr, ce n'était pas la première fois ; il le faisait assez souvent depuis le départ de papa. Mais cette fois, j'eus l'impression qu'il s'éloignait pour pouvoir pleurer tranquille, dans un coin, dignement.

Cette pensée me rendit furieuse contre mes parents. Pensent-ils à leurs enfants quand ils se séparent ? Tom avait onze ans. Dans quelques années, il aurait moins besoin d'eux. N'auraient-ils pas pu attendre jusque là ? Qu'est-ce cela représentait, dans la vie d'un adulte, quelques années ? Bien moins que pour un enfant.

Pour Tom cela semblait une éternité. Pour son bien, ils auraient pu attendre encore...

Je savais bien, naturellement que je n'avais pas le droit de les juger, mais il était dur parfois de s'empêcher de les blâmer.

Prud se remit sur ses pattes dans l'intention de suivre Tom, mais je pensais qu'il valait mieux que je la ramène à la maison. Tom et Ben reviendraient plus tard, pour le thé. Pour le moment, il valait mieux ne pas discuter davantage.

De toute façon, j'avais fait ce qui m'avait été demandé. Je me sentais soulagée. Tom finirait bien par accepter la situation.

Je me sentais presque aussi fataliste qu'André. Il devait y avoir de l'Ecossaise en moi...

Quand je regagnai les Sorbiers, mère et le professeur avaient abandonné le jardin et s'étaient installés confortablement dans la salle de séjour. Je les entendis parler « finances ». Sujet bien peu acceptable pour maman qui ne faisait pas la différence entre une action et une obligation...

Heureusement, elle se contentait d'écouter. Il semblait que le professeur fût assez heureux dans ses transactions à la Bourse. Il venait — expliquait-il — de réussir un assez joli coup sur des brasseries.

Pour quelqu'un qui ne buvait que de l'eau...

— Flora et André ne seront jamais dans le besoin, venait-il de conclure, qand je me décidai à me faire voir.

— Je n'entends pas que ma fille soit jamais pauvre.

Je ne trouvais pas cela très flatteur pour André. Il me paraissait être le genre d'homme qui aime pourvoir lui-même aux besoins de sa famille, être indépendant de qui que ce fût.

Je quittai la pièce au bout d'un instant pour aller me donner un coup de peigne. Par la fenêtre de la salle de bains, tandis que je me lavais les mains, je vis M. Willows remonter l'allée à pied.

Derrière lui, les deux garçons traînaient leurs bicyclettes. Tom semblait le même que d'habitude, remarquai-je avec soulagement. Et je me mis immédiatement à faire le compte des tasses à thé à mettre sur le plateau. Nous serions huit si Flora et André rentraient à temps.

Voyons !... Il y avait des sandwiches aux comcombres, aux tomates, des scones, et le gâteau au chocolat de maman. Çà irait !

Je finissais de tout préparer dans la cuisine, la porte grande ouverte, quand André et Flora revinrent, main dans la main, le regard rêveur.

André semblait en transes. Cette fille l'hypnotisait... J'étais agacée par son attitude ; j'avais envie de le bousculer un peu. J'étais jalouse ? je n'en savais rien. Non ! Ce n'était pas de la jalousie, j'en étais sûre en y réfléchissant. J'aurais simplement voulu qu'il fît preuve d'un peu plus de bon sens.

Le thé fut plus réussi que le déjeuner. Flora et

son père nous quittèrent peu après. Tom et Ben allèrent jouer au ballon au jardin et André les suivit. Je fis la vaisselle. Maman bavardait avec M. Willows. J'entendais le ronronnement de leur conversation, et, de temps à autre, le petit rire de maman.

Tout en rinçant les tasses je me mis à espérer qu'elle ne deviendrait pas trop amicale avec le vétérinaire. Il pensait peut-être à se remarier, mais... pas avec maman, non ! Cela ferait des étincelles avec Tom.

Monsieur Willows et Ben partirent à sept heures et demie et André me proposa une promenade. Nous allâmes d'un bon pas jusqu'au motel de Mellerton.

— Tom semble bien absorbé, me dit-il, quand nous fûmes au bar.

— J'ai dû lui apprendre aujourd'hui que les parents divorçaient. Ça lui a donné un choc.

— Ça va donc si mal que çà ?

— Oui, aussi mal.

— Pas une commission agréable pour vous...

— Je... Je ne savais trop comment m'y prendre. Tom adore son père. Je crains de m'en être mal tirée.

— Je suis sûr que non ! Et, croyez-moi, les enfants sont plus durs qu'on se l'imagine.

Je le remerciai d'un sourire ; Il m'avait fait du bien.

— Tom aurait voulu que je promette de le prendre avec moi quand je me marierai.

— Vous allez vous marier ? J'ignorais...

Il semblait surpris et cela m'irrita.

— Je ne peux pas pleurer David jusqu'à la fin de mes jours...

Je ne sais pourquoi j'avais dit ça. Jamais David ne m'avait autant manqué.

— Bien sûr ! Ma surprise n'était pas une critique.

— Nous devrions partir, dis-je. La foule arrive.

— Si vous le désirez...

Cette fois, il paraissait vexé. Décidément, j'avais le chic pour mettre les gens mal à l'aise ces jours-ci... Pourtant, il ne devait pas être tellement vexé. Il me donna le bras au retour.

— Que pensez-vous de votre premier jour de classe, demain ?

— Je serai heureux quand il sera passé. Mais nous ne commencerons à travailler sérieusement que mardi.

— C'est la même chose pour Tom.

— Son école est privée, n'est-ce pas ?

— Oui. Vous n'approuvez pas ?

— Tant qu'on a encore le choix... dit-il, d'un ton réservé. Kate, j'ai l'intention de vous inviter à dîner avec votre mère. Que diriez-vous de demain ?

— Dommage, André ! Demain, je rentrerai très tard. Je suis prise pour le soir.

— Une autre fois, alors ?

— Une autre fois, avec beaucoup de plaisir.

J'étais sincère et je savais qu'il le croyait.

CHAPITRE V

Toute la journée du lundi, je fus nerveuse en pensant à mon rendez-vous avec Paul Channing. Je n'arrivais pas à me concentrer sur mon travail. Je n'avais pratiquement rien fait de bon aux environs de quatre heures. Or, le lendemain, Mike comptait absolument sur « Belamour ».

Je me lèverai plus tôt demain, pensai-je en quittant mon tabouret. Inutile d'insister maintenant. J'avais une envie folle de téléphoner à Paul pour me décommander.

Dans la matinée, j'étais descendue jusqu'à la boutique de Parkes.

J'avais même soulevé le combiné. Toute mon indécision tournait autour de Mme Channing. Revoir Paul était me rapprocher d'elle. Mais c'était stupide ! Que pouvait-elle me faire ? Je n'avais pas de squelette caché dans un placard... Seulement, je savais qu'elle me détestait, pour avoir osé aimer son fils.

Et je trouve terrible qu'on me déteste.

Finalement, je n'avais pas téléphoné. Après tout, j'avais promis à Paul. J'avais reposé l'appareil. L'épicier avait paru amusé. Il m'aimait bien.

— Changé d'avis ?

— Oui... Je pense.

— La seconde réflexion est souvent la meilleure, dit-il.

— Je l'espère.

Et j'avais regrimpé mon escalier.

Maintenant, la journée était bien avancée. Je buvais mon thé. Et, bien sûr, je pensais à Paul. J'avais envie de le retrouver. Et peur aussi. C'était le jumeau de David, tellement semblable, que le voir serait un plaisir doux-amer.

Mais nous pourrions parler de David. Quand les souvenirs sont bons, on peut bien s'y attarder, n'en déplaise aux psychiatres...

Je décidai de mettre une jupe longue avec une blouse blanche de crèpe de chine et de laisser mes cheveux s'épandre sur mes épaules.

Je mis beaucoup de soin à brosser et farder de sépia mes cils et mes sourcils. Je n'étais pas une artiste pour rien ! Je pouvais aussi bien utiliser mes talents pour moi-même... Je posai un rosc vif sur mes lèvres. C'était assez osé avec ma teinte de cheveux...

J'étais en train de me pencher sur le miroir pour juger de l'effet d'ensemble quand je crus entendre un bruit de pas étouffé, des craquements de bois. Je sursautai et tendis l'oreille.

Mon imagination devait me jouer des tours. Il ne pouvait y avoir personne. La boutique était fermée, le portail aussi. Mais je n'avais pas tiré le verrou.

Bah ! C'était le vent ! J'allai cependant jusqu'au palier et ouvris la porte. Naturellement, il n'y avait personne. J'essayai de percer l'obscurité de l'escalier.

A cette heure, la boutique fermée, la faible ampoule du rez-de-chaussée était éteinte. Et le commutateur, en bas, sans va-et-vient. Seules, les lumières de la rue... Mais elles franchissaient bien faiblement la cour. Je n'étais donc pas entièrement convaincue lorsque j'enfilai mon manteau. Cependant je n'avais aucune envie de descendre l'escalier obscur et de traverser la cour pour mettre le verrou.

Du reste Paul allait arriver d'un moment à l'autre. Ce n'était pas le moment de trembler.

Pourtant, je sursautai en entendant son coup de sonnette. Je descendis en courant l'escalier, relevant haut ma jupe.

Quand j'ouvris la porte, il était là, mince silhouette se détachant sur le réverbère de la rue. Il y avait un taxi proche, le moteur en marche.

— J'ai bien une voiture, m'expliqua-t-il, mais je l'ai laissée à la maison. Quand je sors le soir, j'ai envie d'être tranquille. Et puis, trouver une place pour se garer est infernal.

— Vous vous y ferez, répondis-je en claquant le portail.

Nous partîmes. J'étais terriblement consciente de cette présence auprès de moi. Une vision en noir et blanc. Le profil aigu et même sévère. Il était tellement semblable à David ! Pourtant, il était différent. Pas d'apparence, mais par « l'aura » qu'il dégageait. Une présence, si l'on préfère, tout autre que celle de son frère.

J'avais le sentiment que Paul était plus confiant en lui, plus assuré que David. Et qu'il était prêt à lutter violemment pour obtenir ce qu'il pensait mériter. Et, en dépit de son profil sévère, il avait un air enjoué, comme s'il pensait que la vie méritait d'être vécue.

Bien sûr, elle l'est. J'en suis tout aussi convaincue. Elle *doit* l'être. Elle doit comporter des joies et des plaisirs, comme elle nous oblige à des devoirs. Sinon, tout le monde serait découragé et morose.

Etais-je morose ? Je l'avais certainement été dernièrement. Découragée et triste, envahie d'un sentiment de détresse, dc solitude. Mais ce soir, c'était différent. Ce soir, brusquement, après une journée difficile, je me sentais en train.

Je me tournai vers Paul et lui souris dans le noir.

— Je suis heureux que vous soyez là près de moi. J'ai eu très peur que vous vous décommandiez.

— J'ai bien failli le faire.

Je vis son sourire s'évanouir.

— Je l'avais craint. Je me demandais, dit-il avec un petit sourire en coin, si je ne pêchais pas dans une chasse réservée... Vous voyez ce que je veux dire.

— Si cela avait été le cas, je vous aurais prévenu.

Je n'avais pas l'intention de me livrer davantage. Un peu d'imprécision ne pouvait nuire. Si nous devions sympathiser, cela se ferait peu à peu. Je ne voulais pas trop m'engager.

On disait de moi que j'étais « carrée ». Je peux sembler superficiellement bohême et banale. Mais je ne suis pas une girouette. Je pèse mes actions et leurs répercussions possibles, comme de jeter son bonnet par-dessus les moulins, par exemple...

— Où m'emmenez-vous ? demandai-je alors que le taxi tournait dans une avenue, pleine de bruit et de lumière, des gens en files devant les théâtres.

— Soho, dit-il.

Ce qui ne m'apprenait rien.

Nous étions déjà dans Dean Street, avec ses

odeurs de café, de rôtisseries, ses « posters » de femmes dénudées. Puis, Compton Street. Je connaissais bien Soho. Mike et moi y prenions souvent des repas à l'italienne.

Le taxi s'arrêta devant Osterleys. Le portier nous fit entrer. Il nous introduisit dans le bar, tranquille, ouaté, où même le tintement des verres semblait feutré.

— Oui, je sais, c'est plutôt traditionnel, dit Paul, qui avait remarqué ma surprise.

J'avais, en effet, pensé qu'il m'entraînerait dans quelque chose de plus jeune, de moins compassé.

— C'est un excellent restaurant, dis-je.

Il me semblait que c'était mon père qui parlait par ma bouche.

— C'est tranquille et la nourriture y est bonne. J'y ai déjeuné samedi.

— J'y suis allée parfois avec mon père. Je l'aime aussi.

Je montai pour aller enlever mon manteau, un vêtement du soir couleur bordeaux : encore une provocation, avec ma couleur de cheveux... Je n'ai jamais perdu l'enfantine habitude des défis. J'aime jouer un peu avec le danger, transgresser une ou deux règles, parfois. Je ne devais pas tenir ce goût de ma mère, si conventionnelle. Mais probablement de mon père qui avait osé quitter la maison et se mettre à vivre pour lui.

— Vous aimeriez boire un champagne-cocktail ? demanda Paul quand je revins du vestiaire, ma jupe noire s'enroulant autour de mes jambes, en un frottement soyeux. J'aimais la sentir ainsi autour de moi. Je me trouvais en beauté ce soir. Et élégante. C'est une impression qui donne confiance en soi.

— J'adorerais çà, dis-je m'asseyant sur une des petites chaises volantes.

Paul fit signe au barman.

— Dans ce cas, nous en prendrons bien deux chacun et cela nous débarrassera sûrement de la nervosité d'un premier rendez-vous...

Je me mis à rire.

— C'est à la fois parce que nous sommes l'un pour l'autre des étrangers... et pas tout à fait des étrangers, cependant !

Il hocha la tête en souriant. C'était exactement ça, disait son sourire. Et moi, je trouvais miraculeux qu'il eût suffi de détecter cette nervosité pour qu'elle disparaisse. Maintenant, avant même d'avoir été servie, je me sentais plus à l'aise qu'un moment plus tôt. J'étais moins raide sur ma chaise et Paul, paraissait moins sévère. Son sourire me donnait comme une faiblesse dans les jambes.

— J'ai vu votre mère samedi dernier dans Mellerton, dis-je. Elle était au supermarché avec votre tante.

Je pensais qu'il valait mieux que je parle de cette rencontre, en tout cas, y faire une allusion. Je voulais savoir si lui avait parlé de sa visite à mon appartement.

— Elle est là-bas pour quelques jours. Avez-vous parlé de notre rencontre ?

La question était venue sans attendre, quoique formulée d'une façon très calme. Il m'offrit une cigarette.

— Merci, je ne fume pas.

Je secouai la tête de droite à gauche, et mes cheveux vinrent en partie me couvrir le visage. Les cheveux longs sont utiles parfois. Ils aident à se reprendre.

— Non ! Je n'en ai pas parlé, dis-je. Je dois vous avouer que j'en aurais été incapable. Les mots ne seraient pas venus.

Il rit de bon cœur. Un vrai rire, pour la première fois depuis que je le connaissais. Un rire franc et amusé qui rejetait sa tête en arrière.

— N'ayez pas l'air aussi ennuyé, c'est très bien ainsi. Moi non plus, je n'avais pas livré notre secret. Je ne suis pas sous la coupe de ma mère, autant que David.

— Vous n'êtes pas juste ! m'écriai-je. Il ne l'était pas non plus ! Les circonstances...

J'avais bondi, outragée. Je n'aurais pu supporter de ne pas prendre la défense de David.

Paul haussa les épaules.

— Peut-être serait-il plus juste de dire qu'il était très influencé par elle. Je ne suis pas en train de le démolir en vous disant cela. J'ai beaucoup de respect pour lui. Mère a essayé de nous influencer tous les deux, après la mort de notre père. Comme vous le savez, j'ai préféré lui échapper. Je suis parti. C'est une femme merveilleuse et elle a fait tout ce qui était possible pour nous deux. L'ennui était qu'elle ne pouvait se passer de nous, vivre seule. Elle voulait avoir un droit de regard sur nos vies.

Je compris qu'il avait laissé échapper cette confidence, presque contre son gré. Je me sentais plus heureuse, plus légère aussi. Le deuxième champagne-cocktail, peut-être ?

Il avait été encore meilleur que le premier. Grâce à lui je me sentais capable de discuter au sujet de Mme Channing avec beaucoup de calme, presque une certaine nonchalance.

— Ce doit être très dur pour une mère de

laisser échapper ses enfants, dis-je. De s'en détacher...

— Eh bien ! C'est quelque chose que vous et moi avons encore à découvrir, dit-il en souriant. Venez ! Allons dîner !

Il avait retenu une table très bien placée et tout cela semblait fort luxueux. Un trio de serveurs virevoltait autour de nous, empressés et obséquieux.

Nous étions « Monsieur et Madame » avec sur les genoux des serviettes de table, blanches comme neige, des serviettes comme on n'en fait plus que dans de bien rares établissements de luxe. Le repas était délicieux et fort bien servi. Nous bavardions sans aucune gêne, nous nous découvrions des intérêts communs pour beaucoup de sujets. Nous en étions même à nous taquiner.

— Et maintenant ? demanda Paul pendant que nous buvions le café.

Tête un peu baissée vers moi, le regard interrogateur, il aurait pu être David. De nouveau, ces cheveux sombres, ces cils épais, ce regard un peu latin... Je ne pouvais m'empêcher de le regarder. Ce pourrait être facile... facile... Je m'obligeai à détourner mon regard. De nouveau, le restaurant, la foule, les conversations me reveillèrent. Si j'étais dans mon bon sens, je *devais* rentrer. Tout de suite !

— Maintenant, à la gare, si vous voulez bien, dis-je, la voix un peu enrouée.

— Pas à votre appartement ?

— Pourquoi ? Je dois prendre le train de dix heures. J'ai une journée très chargée demain. Je devrai me lever tôt. J'ai une travail urgent à rendre pour la fin de la matinée.

— Je pensais que les gens qui, comme vous, n'ont pas d'horaires à respecter ont plus de liberté.

— C'est la croyance générale, je le sais.

Je souris en pensant aux périodes où je me nourrissais d'un morceau de fromage et de pain, pour pouvoir me considérer comme... libre.

— Est-ce que la récession actuelle vous touche ? demanda-t-il devant mon regard lointain.

Comme j'inclinais la tête sans parler, il n'insista pas.

Mais c'est moi qui éprouvais le besoin de m'expliquer.

— Oui, dis-je, la récession influe sur le travail. Mais je dois m'y faire. J'en ai parfois des sueurs froides, la nuit, quand je pense aux factures, aux frais, alors que les commandes tardent. Mais je n'ai pas le choix. Je ne sais faire rien d'autre que dessiner, inventer des images. C'est pour cela que je suis faite.

— Ce que vous *devez* faire, en d'autres mots ?

— Oui. C'est exactement çà.

C'était quelque chose qu'il semblait bien comprendre. Du coup, je continuai :

— Je serai peut-être obligée de quitter mon appartement et de travailler et vivre à la maison, en sous-louant, à Londres.

— C'est dans vos intentions ?

— Pour être honnête, non ! J'adore la capitale, je l'ai toujours aimée, mais j'ai fait quelques calculs, la nuit dernière. Une sorte de bilan. Le résultat m'a fait frissonner.

— C'est lamentable !

Il m'avait pris la main. Je trouvais agréable de me sentir comprise.

A la gare, il m'accompagna dans le train. Le compartiment était vide.

— Kate, dit-il, il y a une solution à votre dilemme.

J'étais sur mes gardes. Il s'était assis en face de moi, penché en avant. Je me demandais ce qu'il pouvait avoir dans l'esprit.

— J'ai une proposition à vous faire, qui pourrait nous arranger tous les deux.

— Une... proposition ?

Maintenant, j'étais réellement sur mes gardes.

— Une proposition d'affaire, ne vous méprenez pas, Kate. Ecoutez-moi !

Il se leva, ferma la porte du compartement pour nous éviter les bruits de la gare, et lorsqu'il revint s'asseoir, il se plaça près de moi.

— Ecoutez-moi bien. Vous désirez garder votre appartement, mais vous le trouvez trop cher.

— En gros, c'est çà.

— J'ai moi, besoin d'un appartement pour quelque mois, jusqu'à ce que j'ai fait des plans définitifs. Une petite location pour y passer mes soirées, y dormir, y vivre pendant le week-end. Un endroit où me délasser, si vous comprenez ce que j'ai en tête. Mère est très bien dans son appartement. Elle a madame Morris pour s'occuper d'elle. De plus, elle sera souvent chez tante Ellen.

— Je ne vous suis pas...

J'étais soupçonneuse. Que voulait-il donc ?

— Je suggère que nous partagions votre logement. Loyer motié-moitié. Vous l'occupez durant le jour et moi, pendant la nuit. Je n'y arrive qu'après mon travail, donc quand vous aurez terminé le vôtre. Vous n'avez même pas besoin de me rencontrer, si cela ne vous fait pas plaisir. Vous ne croyez pas, Kate, que ce serait une solution élégante pour nous deux ? Quand l'un s'en va, l'autre arrive. Cela me paraît d'une simplicité enfantine.

— Je n'ai jamais entendu une pareille sottise !

J'étais bouche bée, à la fois de stupéfaction et de colère. Pourquoi se moquait-il ainsi de moi ?

— Nous partagerions le loyer moitié-moitié, répéta-t-il.

Je compris alors qu'il était sérieux. Peut-être n'était-ce pas si bête, après tout ?

— Et si, par hasard, vous aviez besoin de passer la nuit en ville, vous me préviendriez et je ne viendrais pas ce jour-là.

— Cela me paraît aberrant.

— C'est parfaitement pratique et réalisable. Et cela résoudrait notre problème à tous deux.

Cette fois, j'étais sûre qu'il était sérieux. Je regardai par la fenêtre du compartiment. Non, je ne pouvais accepter, c'était ridicule !... Impossible ! Madame Channing serait capable de m'aracher les yeux... « Je vous défie, je vous défie, Kate Fawcett de faire une chose pareille... »

Non, réellement, c'était impossible, même de la façon dont Paul le présentait, Paul et moi, co-locataires, partageant un appartement, non comme on le conçoit d'habitude, mais d'une façon très originale.

Et pourtant, c'était pratique, c'était une proposition qui tenait debout. Et Paul n'était pas vraiment un homme ! C'était le jumeau de David. Et là était toute la différence. Je le regardai enfin.

— Je ne sais vraiment que vous dire. Il y a un tel fouillis, un tel désordre chez moi. Et des choses dont j'ai besoin.

Paul sentait bien que je faiblissais. Il n'était pas idiot. Le constatant, il me pressa davantage.

— Rien dans vos affaires ne pourrait me gêner.

De la main, il avait encerclé mon poignet, tripotant mon bracelet.

— Ne vous tracassez pas de ce que vous y laisseriez. C'est pour cela que je l'aime. Il a l'air vivant, habité. Je n'aurais aucune peine à y vivre.

— Je ne sais que vous dire...

Je me répétais, mais j'étais tellement indécise... Le train commença à vibrer. Il allait partir. Madame Channing serait furieuse, pensai-je. Elle ne laisserait jamais Paul réaliser son projet.

Je n'aimais pas faire sciemment de la peine aux gens. Même à elle... Pourtant, cela n'avait pas l'air d'entrer en ligne de compte pour son fils. Sans doute savait-il mieux que moi ce qu'il pouvait faire... Et puis, je ne lui enlevais pas son fils. C'était lui qui désirait s'écarter d'elle.

— Je ne peux me décider ainsi, répétai-je.

J'étais soudain pleine d'appréhension. Ma vie n'était-elle pas suffisamment compliquée, en ce moment ?

— Eh bien ! ne décidons pas encore. Vous réfléchirez. Donnez-vous le temps d'y penser. Mais faites-moi savoir ce que vous déciderez. Téléphonez-moi.. A la maison au bureau. N'importe !

Brusquement, il lâcha mon poignet et sauta sur ses pieds.

— Grands dieux ! m'écriai-je, le train démarre.

Mais, juste avant d'ouvrir la portière il prit le temps de me serrer dans ses bras.

— Bonne nuit, Kate chérie. C'était merveilleux... Merveilleux.

Son baiser, si rapide qu'il eût été, j'en sentais encore la chaleur ! J'étais haletante, heureuse, rassurée, j'avais envie de chanter...

Je me souviens à peine du retour vers Mellerton, à travers les tristes banlieues. Mais quand le train s'arrêta je fus de nouveau projetée dans la réalité : le pont de fer, l'odeur de la brasserie... Et à ma surprise, une voiture de sport dans la cour. Au volant, André Goss.

— Seigneur ! Qu'est-ce que c'est que çà ?

— Une nouvelle voiture. Je l'ai eue juste aujourd'hui. Une idée de Flora. Elle ne pouvait tolérer de me voir continuer à rouler dans mon stock-car... Enfin, je parle de ma chère Morris...

— Bravo !

— J'ai vu arriver le train, comme je rentrais. Je me suis demandé ci ce n'était pas celui qui vous ramènerait.

— Vous avez eu le nez creux. Je suis ravie. Je n'avais aucune envie de marcher.

J'étais plutôt curieuse de l'effet que me ferait l'entrée dans ce machin-là. André était presque plié en deux sur son volant.

— Est-ce que ce n'est pas un peu trop petit pour vous ? demandai-je, comme il m'ouvrait la portière.

— Je me plie aussi facilement qu'une chaise longue de toile...

Il semblait fâché. Je le regardai plus attentivement.

— Vous vous êtes bien amusée ? demanda-t-il pourtant, en démarrant...

Quand nous traversâmes la ville je le vis mieux. Il était très pâle.

— Très bien, répondis-je à retardement. Et comment s'est passé votre premier jour de classe ?

— Pas mal ! Nous sommes fin prêts maintenant.

La voiture franchit le pont et descendit sur l'autre rive.

— Kate, dit-il comme nous approchions de notre villa, pensez-vous que votre mère pourrait me garder jusqu'à Pâques ? Mon mariage est retardé, à cause... enfin, bref, pour plusieurs raisons. Des circonstances indépendantes de notre volonté, comme on dit à la télévision !

Sa voix avait de curieuses intonations. Il essayait d'être jovial, sans y parvenir tout à fait. Sûrement quelque chose n'allait pas. Je me dépêchai de l'assurer que nous serions très contentes de le garder davantage, mère comme moi.

— Merci, dit-il comme nous franchissions le portail.

Il alla mettre la voiture au garage. J'entrai dans la maison, retirai mon manteau et mis une casserole de lait à chauffer. J'avais envie de quelque chose de chaud.

J'avais réfléchi. J'accepterais l'arrangement de Paul. J'avais décidé la chose dans le train. J'étais si heureuse...

— Je prépare du chocolat, dis-je à André. Ça vous va ?

Le regardant à la dérobée, je lui vis un visage fatigué, tendu. S'étaient-ils disputés, Flora et lui, à propos de la date du mariage ?

— Je prendrai avec plaisir du chocolat.

Il referma la porte au verrou. Il était très méticuleux.

— Je suis content que vous ayez eu une agréable soirée, dit-il, comme s'il cherchait ses mots.

— Cela s'est passé beaucoup mieux que je ne l'avais espéré.

Prud vint nous rejoindre. Je la vis, descendant

doucement l'escalier. Elle couchait dans la chambre de Tom.

— C'est souvent le cas, je pense. Les choses sur lesquelles on compte tombent à plat et les autres...

— Oui, c'est vrai.

Je posai sa tasse de chocolat devant lui et m'assis, avec la mienne.

— Ressemble-t-il à votre fiancé ?

Je sursautai. La question m'avait surprise. Comment savait-il que c'était avec Paul que j'avais rendez-vous ?

— Comment... ?

— Il était venu chez vous. Vous avez eu un rendez-vous peu après. C'était facile à deviner.

— Oui, bien sûr !

Mais, pourquoi s'en était-il inquiété ? Il semblait avoir suffisamment de problèmes personnels à résoudre...

— Physiquement, oui, il lui ressemble. Mais ils sont cependant très différents. Enfin, d'une certaine façon...

Je me sentis rougir en pensant au baiser de ce soir.

André acquiesça en silence. Il avait sûrement eu une querelle avec Flora. Elle devait détester l'idée de quitter son père.

— Je vous dis bonsoir, André. Je monte. Il est tard.

Il se leva et m'ouvrit la porte.

— Bonne nuit, Kate. J'en ferai autant bientôt.

Je me couchai en pensant à Paul, à David, et Dieu sait pourquoi, entre deux mauvais sommeils, à la voiture d'André.

Si, je savais. Lors de l'enquête, Mme Channing

avait dit que son fils n'avait pas sa maîtrise habituelle. Mais il était un conducteur calme, prudent. Une fois que je lui reprochais de se traîner sur la route, il m'avait expliqué :

— Il fut un temps, Kate, où je conduisais comme un fou. J'avais alors une voiture de sport rouge. Je l'ai laissée un soir près de la maison. Le garage devait la faire prendre pour une révision. Le lendemain, je vis arriver un policier au bureau. Une voiture rouge (la mienne) avait été abandonnée non loin de là. Elle portait des traces d'accident. Une femme avait été tuée. Le chauffard avait pris la fuite. Le mari de la morte avait relevé mon numéro. Personne n'avait vu le conducteur. Je dus rencontrer cet homme. Il était fou de chagrin et de colère. Ce fut un cauchemar. C'est une chose que je n'ai jamais oubliée, bien que j'aie eu un alibi inattaquable.

— Mais ce n'était pas vous ! Seulement la voiture.

— Une voiture peut-être une arme terrible, avait-il répliqué.

J'avais compris qu'il l'avait vendue, et aussi, pourquoi il conduisait avec tant de prudence — sauf le jour de sa mort...

Pourquoi avais-je revécu tout ça, alors que je me croyais guérie...

CHAPITRE VI

Un bien curieux arrangement, ce partage de mon appartement avec Paul ! Néanmoins, il fonctionnait parfaitement.

Six semaines s'étaient écoulées et je n'avais plus aucune inquiétude. Paul était un locataire parfait.

Il faut dire que nous n'avions rien laissé au hasard. Nous avions soigneusement tout prévu. J'avais transformé la chambre en salon pour lui, en remplaçant le lit par un grand canapé confortable et élégant.

J'avais conservé l'autre pièce comme atelier. Je n'avais jamais eu l'habitude d'y manger. Cela facilitait les choses. Quant à ma toilette, la plus sérieuse était faite à la maison.

Paul tint également sa promesse, de rester discret. Je ne le voyais pratiquement jamais au studio. Je ne lui en aurais du reste pas voulu, si parfois, il en avait été autrement... Mais, malgré mon arrivée quotidienne strictement à neuf heures, je ne le croisais même pas dans l'escalier. La seule trace de sa présence était une légère odeur de tabac, un petit relent de café et, parfois, un soupçon d'encaustique.

Il gardait toujours sa chambre méticuleusement

propre. Je ne me permettais certes pas d'y pénétrer, mais je ne pouvais éviter de voir. La porte en restait ouverte. Paul n'avait rien d'un cachottier. Je m'en félicitais. C'est une telle preuve que l'on est soi-même méfiant... Cela m'aurait beaucoup déplu chez lui.

Ainsi l'arrangement marchait. Je n'avais plus, bien sûr, l'impression d'être l'unique locataire, mais d'une certaine façon de le partager avec... l'homme invisible.

Cependant, nous nous rencontrions régulièrement tous les vendredis soir. Un rendez-vous que Paul avait baptisé la-nuit-du-paiement. Nous prenions un verre ensemble dans un bar du quartier. De là, je regagnais la maison.

Nos relations en étaient restées exactement au même stade que lorsque nous avions conclu ce curieux arrangement. J'avais l'impression que ces relations ne se continuaient qu'à cause de celui-ci...

A la maison, au contraire, André continuait à être aimable et bon. Et comme Paul, pas gênant le moins du monde. Il passait la plupart de ses week-ends à Thaxted Wood. Je n'étais jamais tombée sur Sylvia Channing, car elle était retournée à Highgate.

Quand j'avais demandé à Paul ce qu'elle pensait de notre arrangement, il avait haussé les épaules, et admis que cela ne lui plaisait guère, mais qu'elle l'avait accepté. Elle savait bien qu'un jour où l'autre, il quitterait la maison.

— Certes, Paul, mais elle n'avait jamais pensé que ce serait pour vous rapprocher de moi. Le lui avez-vous bien expliqué ?

— Oh ! Absolument.

Et sa bouche bien dessinée avait eu cette grimace qui indiquait qu'il avait envie de rire.

— Paul..., ce n'est pas drôle. Elle doit se sentir seule.

— Kate, chère Kate, pour l'amour du ciel, ne croyez pas ça ! Mère est un expert en relations sociales. Elle s'est déjà découvert un club de bridge, un groupe avec qui elle prend son café de onze heures. Et j'ajoute que je n'ai pas déserté la maison. J'y passe souvent le week-end.

Nous nous trouvions dans notre café habituel quand il m'avait répondu ça. Il m'avait alors caressé la joue.

— Ma chère Kate, vous vous faites trop de souci.

Je restai impassible, froide sous la caresse, la désirant, pourtant, mais sans m'empêcher d'éprouver de l'appréhension.

— David était du même avis, répondis-je distraitement.

Immédiatement, il avait retiré sa main.

Maintenant, nous étions à la fin d'octobre. Les matinées devenaient froides, le soleil, plus pâle quand il se montrait.

J'étais en train de travailler à une couverture de livre romantique. J'avais à réaliser l'image d'une jeune fille sur un cheval au galop. Ses cheveux devaient être entraînés en arrière, soulevés par le vent. Le paysage était conçu pour être verdoyant, avec des taches de couleurs vives et plaisantes. Tout devait indiquer le mouvement.

Je m'appliquais, prise tout entière par mon travail. Le monde autour de moi n'existait plus, j'étais entourée d'un halo de joie féconde.

Quand je terminai, les joues chaudes, l'image que j'avais eue en tête, enfin traduite à ma satisfaction sur le papier, j'entendis de nouveau les bruits environnants. La transe était terminée. Au-dessous de moi, la voix de Parkes vantait sa marchandise. Il le faisait parfois, quand il se sentait à l'étroit dans sa boutique.

Il se souvenait alors, qu'il avait été autrefois, marchand des quatre saisons, sur les trottoirs. Bien campé sur le pas de sa porte, il donnait alors de la voix.

Brave M. Parkes ! J'aurais été désolée de le quitter. J'avais eu mille fois raison d'accepter la proposition de Paul.

Je me servis du café, il avait laissé le filtre dehors à mon intention. J'y trouvais toujours une ration supplémentaire qui m'était destinée. C'était une attention très agréable. Je l'appréciais. Souvent, il y ajoutait quelques pâtisseries, avec un petit mot : « *Aidez-moi à finir ça. Sinon, je grossirais...* »

Ma tasse à la main, je venais de regagner l'atelier quand j'entendis des pas dans l'escalier. Quelqu'un montait, d'un pied léger. Tout d'abord, cela ne m'inquiéta pas. Pourquoi aurais-je eu peur ?

On était au milieu de la matinée, l'animation régnait autour de moi. Ce pouvait être le facteur, ou Mike. Ou même Parkes, venant me demander de lui chauffer un peu de lait. Il y avait souvent quelqu'un pour monter ces marches. Sinon, auraient-elles été aussi usées ? Il y avait une centaine d'années qu'on les parcourait dans les deux sens...

Je commençai à tracer, à traits fins, la crinière du cheval. C'est délicat. Assez et pas trop. Voilà, c'était fait ! C'est alors qu'on frappa à ma porte.

— Entrez ! criai-je, en me redressant pour regarder en direction de la porte. C'est Mme Channing qui la poussa.

J'avais toujours été persuadée qu'elle viendrait.

Elle *devait* venir un jour ou l'autre. Maintenant, elle était là !

— Bonjour, Catherine. J'étais dans le quartier, j'ai eu l'idée de passer vous voir.

Sa bouche me souriait. Mais, pas ses yeux, plus sombres que jamais.

— Mais... bien sûr. Asseyez-vous, je vous prie.

J'avais eu du mal à prononcer ces quelques mots. Je débarrassai un siège des paperasses qui l'encombraient. Elle ignora mon geste et s'approcha de la fenêtre, regardant la rue. Elle était de profil par rapport à moi. Elle avait retiré ses gants et en tapotait l'intérieur d'une de ses paumes. Elle était mince comme une adolescente, parfaitement vêtue et chaussée. Son petit chapeau à la Robin des Bois laissait voir ses cheveux couleur de jais, entourant un visage qui me fit penser à Circé, cette magicienne, cette sorcière qui changeait les hommes en porcs. J'étais certaine qu'elle avait envie, en ce moment-même de me transformer en quelque chose de pire... Sans doute, de me faire tout bonnement disparaître. Bien sûr, ces pensées étaient stupides ! J'étais encore en train d'exagérer. Sylvia Channing était tout simplement la mère de Paul.

Néanmoins, je me raidis contre l'attaque qui ne pouvait manquer. Elle ne me faisait pas une simple visite. Elle était venue pour m'avertir, m'inquiéter, m'effrayer, si possible.

Elle avait sans doute envie de savoir ce qui existait exactement entre Paul et moi. Eh bien, je le lui dirais ! Elle aurait ainsi l'esprit en repos.

— Que pensez-vous de mon appartement, madame Channing ?

— Très... bohémien !

Elle tourna le dos à la fenêtre pour me faire face. Le soleil pâle la nimbait d'argent.

— Pourquoi ne vous asseyez-vous pas ? Je préparerais un peu de café. Je suis juste en train de prendre le mien.

— Non, merci. J'en ai pris il y a un instant.

Elle resta debout mais se rapprocha de moi. Nous nous faisions face, le regard attentif.

— J'ai trouvé un appartement pour Paul, à Frognal.

Elle continuait à me fixer, d'un regard aigu comme la pointe d'une épée.

— Vraiment ? Je vois...

— Je vous demande d'insister pour qu'il quitte celui-ci.

— A-t-il donc besoin d'être persuadé ? Peut-être n'aime-t-il pas l'appartement de Frognal ?

Paul ne m'en avait pas parlé. Il ne m'avait pas téléphoné à ce sujet. Sans doute comptait-il le faire à notre rencontre de ce soir, en payant son loyer. Je ne ferais certainement rien avant qu'il m'ait fait part de ses projets. Je n'avais aucune confiance en Mme Channing.

— Evidemment, la location est chère, mais cela n'a aucune importance.

— Je ne vois pas où se trouve le problème, dans ce cas... Si Paul a envie de déménager, bien entendu.

— J'ai l'impression qu'il considère avoir quelque obligation envers vous.

— Voulez-vous dire, pour demeurer ici ?

Je lui rendis fermement son regard.

— Il sait qu'il n'a aucune obligation, d'aucune sorte. Cela a été établi clairement quand il s'est installé ici. S'il n'a pas envie de déménager, cela ne peut être la raison. Cela signifie peut-être simplement que cet appartement lui convient.

Son regard prit une expression plus agitée et elle me toisa avec insolence.

— Ne serait-il pas plus exact de dire qu'il vous convient de l'avoir ici ?

— Je ne vous comprends absolument pas.

Mon cœur battait à coups désordonnés, jusque dans mon estomac. Je ne voulais surtout pas qu'elle puisse se rendre compte que j'étais effrayée. J'assurai ma voix pour dire :

— Je ne puis réellement pas faire ce que vous suggérez. Ce ne serait pas bien.

— Ce n'est pas de votre intérêt, voilà tout !

Son regard était de plus en plus insolent. Mes craintes se transformèrent immédiatement en fureur.

— Je ne comprends pas ce que vous voulez dire !

— Allons, vous n'êtes pas à ce point stupide ! Cela vous arrange qu'il reste ici le plus longtemps possible, pour payer votre loyer.

— La moitié de mon loyer. La moitié, répliquai-je instantanément. C'est ce qui a été convenu entre nous. Cela a été spécifié par écrit. Paul a sa chambre et moi, l'atelier. Nous partageons les commodités habituelles. Et c'est tout ce que nous partageons, Madame Channing.

— Je trouve cela un peu... un peu difficile à croire.

De nouveau,, son regard était insolent, grossier même. Mais maintenant, j'étais prête à répondre. Elle saurait la vérité, puisqu'elle y tenait si fort. La vérité toute simple. En termes aussi simples. Et même précis.

— Paul et moi n'avons aucune relation intime.

Cela ne fait pas partie de la convention. En fait, il en a été question, mais nous n'avons pas donné suite. Je suis désolée qu'une telle franchise vous choque. Je n'étais pas obligée de mettre les points sur les i. Je l'ai fait cependant, parce que vous êtes sa mère, et parce que... d'une certaine façon... je vous comprends.

J'avais ajouté ces derniers mots, exprès, parce que, en fait, ils disaient la vérité. Je pouvais comprendre ce qu'elle éprouvait, jusqu'à un certain point.

L'effet de mes paroles fut absolument imprévu. Elle devint d'une pâleur de cire, ses lèvres devinrent violettes. Je savais que c'était des signes dangereux. Je savais qu'elle n'en supporterait pas davantage. Et je sus, aussi, à cette même seconde, ce que David avait ressenti dans des circonstances identiques.

Il ne pouvait que céder, cesser de combattre, de se défendre. Mon pauvre, pauvre David, mon amour perdu ! Si j'avais vraiment su...

— David vous avait demandé de l'épouser, dit-elle enfin, les lèvres toujours violettes. Mais ne vous y trompez pas, Kate. Paul ne le fera jamais. Il est ambitieux, dur. Il a envie d'aller loin. Et haut. S'il se marie un jour, je dis bien « si », car Paul est amoureux de sa liberté, il choisira une fille fortunée, qui l'assistera dans son ascension.

— Madame Channing, je vous en prie...

— Pour le moment, oui, vous l'avez séduit. Il ne pense à rien d'autre. Mais cela ne veut rien dire, je peux vous l'assurer. Rien ! Vous m'entendez ? Je connais mon fils. Je le connais bien mieux que vous ne le ferez jamais.

Je tremblais de nouveau, comme au cours d'un

accès de fièvre paludéenne. J'espérais qu'elle ne s'en apercevrait pas. Son visage était toujours tiré, tendu, et ses yeux brillaient de rage ou de jalousie, ou, sans doute, d'un mélange des deux.

Cependant j'avais encore à ajouter quelque chose pour que tout soit clair entre nous. Je ne pouvais me laisser traiter ainsi, sans réagir.

— Vous le voulez pour vous toute seule. Non pas à Frognal ou ici, mais à Highgate, avec vous. C'est tout !

— Pendant quelque temps, c'est exact. Et pourquoi pas ? Une artiste sans le sou peut paraître romantique, mais mon fils a besoin de *moi,* même s'il ne s'en rend pas compte.

— Je ne suis, dis-je, très en colère maintenant, ni sans le sou, ni spécialement romantique. Paul et moi avons conclu un marché, un pacte, si vous préférez. S'il désire le rompre, je pense qu'il est assez grand pour me le dire lui-même. Je ne l'influencerai pas.

— Ainsi, je perds mon temps ?

— Certainement. Je le regrette.

Elle m'aurait battue ! Durant quelques secondes, je m'y attendis ! Mais elle tourna subitement les talons, se dirigeant vers la porte qui, juste au moment où elle y arrivait, s'ouvrit d'elle-même, comme elle le faisait quelquefois.

Elle s'arrêta, surprise. Je crus devoir expliquer :

— La fermeture est défectueuse.

Je pris la poignée en main et maintint la porte ouverte pour elle. Elle passa le seuil et lorsqu'elle fut sur le palier, se retourna vers moi.

— Si vous vous accrochez à lui, vous le regretterez, je peux vous l'assurer.

Ce furent ses derniers mots avant qu'elle descendît les marches raides et usées, très vite, et avec une grande légèreté.

Je ne répondis pas. Je reculai et fermai la porte. Ses mots contenaient une menace ou un avertissement. De quelque façon qu'on les baptisât, ils étaient horribles.

Quand je fus seule, je m'assis devant la rampe électrique du chauffage et pleurai.

Je n'ai jamais pensé que les larmes soient apaisantes, ni qu'on se sente mieux après en avoir versé. Cette fois, encore, je me retrouvai épuisée, écœurée, quand je me décidai à me lever et à aller passer de l'eau fraîche sur mon visage.

Je me demandais pourquoi j'avais pleuré. Cela ne m'arrive pas souvent. Je pense que c'était le choc. Je sentais que Mme Channing me détestait, je sentais qu'elle me voulait du mal. Elle m'avait menacée. Je savais aussi qu'elle l'avait fait de sa propre initiative.

Peut-être est-ce que j'attachais trop d'importance à cet incident désagréable. Elle voulait évidemment réussir à détacher Paul de moi. Mais quelle mère n'est pas jalouse de la fille qui apparaît même épisodiquement, dans la vie de son fils ? Presque toutes les mères sont ainsi. La scène qui venait d'avoir lieu était une scène de jalousie, tout simplement. Jalousie naturelle, mais déplacée dans le cas présent. Paul pourrait rassurer sa mère sur ce point.

Penser à lui me donna envie de le voir. J'avais un besoin profond, immédiat de sa présence. Viendrait-il si je lui téléphonais ? Oui, j'étais sûre qu'il viendrait. Mais je ne devais pas le faire, évidemment ! Ce serait peu loyal.

Cela pourrait amener des troubles dans ses relations avec sa mère. Comment pourrais-je oublier jusqu'où nous en étions arrivés, David et moi, durant ces vacances en Cornouailles... La dispute... l'accident... Ces terribles moments...

Je devais éviter tout cela... « Sauve-toi, écarte-toi », tintait une cloche au-dedans de moi-même. Une cloche qui, paradoxalement, me donnait envie de le voir, m'amenait vers lui, me guidait, en quelque sorte, vers lui... Que tout était donc difficile !

Au rez-de-chaussée, le téléphone sonna dans la boutique de M. Parkes. Une seconde plus tard, il s'égosillait au bas des marches :

— Hou-hou ! Vous entendez ? Téléphone pour vous !

— J'arrive, monsieur Parkes, j'arrive.

J'étais pleine d'espoir. Si ce pouvait être Paul...

C'était lui.

« — Allô, Kate ? »

Sa voix avait un ton d'urgence.

« — Oui, Paul, c'est moi. »

« — Vous semblez essoufflée ? »

« — Ce doit être la ligne. »

« — Avez-vous vu ma mère ? »

« — Oui. Elle est venue et repartie. »

Je repris mon souffle avec soulagement, penchée sur le pupitre de l'arrière-boutique où M. Parkes avait installé l'appareil.

« — Je me demandais si elle viendrait. Nous nous sommes disputés, Kate. Pourrions-nous nous rencontrer pour le lunch ? Vous ne devez pas voir votre éditeur, ce matin ? »

« — Non. Pas aujourd'hui. Je n'ai aucun projet. »

« — Tant mieux ! J'ai besoin de vous voir. »

Il y eut entre nous un silence tendu.

« — Puis-je apporter quelques provisions ? Nous les mangerons dans l'appartement. Nous serions beaucoup plus tranquilles pour parler. Si cela vous convient, bien entendu. »

Je n'hésitai pas un instant. Je répondis immédiatement :

« — Oui, Paul, bien sûr ! Venez ! »

Seigneur, il avait téléphoné ! J'y voyais un signe. Mais, qu'est-ce qui lui avait fait penser que sa mère viendrait chez moi ce matin ? Leur dispute venait-elle de là ?

*
* *

— Non ! Je ne savais pas qu'elle devait venir, me dit-il, une demi-heure plus tard, pendant que nous mangions ensemble nos sandwiches au fromage.

« Je ne le savais pas, mais je dois dire que je m'en doutais. On peut presque toujours prévoir les gestes de ma mère. Il y avait eu quelque chose dans ses manières, quand nous discutions, hier, au sujet de l'appartement de Frognal, qui me l'avait fait craindre...

— Je pensais bien..., dis-je.

— Oui. Avec moi, elle ne discute jamais directement, dit-il. Elle préfère attaquer par l'arrière.

— Moi étant l'arrière, si je comprends bien. Merci beaucoup !

Il était facile de rire de tout cela, maintenant que Paul était assis à côté de moi, mais ce n'était cependant pas drôle. Et lui, ne riait pas. Son visage était grave.

— La dernière chose que je désire, me dit-il, est un appartement de « cadre de direction », dans un quartier chic. Etre ici me convient parfaitement. J'y suis tranquille et très heureux.

» Evidemment, si cela doit vous attirer des ennuis, ou que vous les redoutiez, je ferais mes paquets sur-le-champ. Je ne voudrais pour rien au monde vous attirer des scènes désagréables. J'espère que vous en êtes convaincue ?

— Ne dites pas de sottises, dis-je. Je sais être dure et je n'ai pas la moindre envie de vous voir partir. Du reste, si vous le faisiez, j'aurais simplement le souci de trouver quelqu'un d'autre... Une fille, qui suspendrait ses culottes et ses soutiens-gorge un peu partout et rendrait la cuisine dégoûtante.

— Au moins, dit-il sèchement, vous ne pouvez m'accuser de ça. La cuisine est toujours propre, et je fais laver mon linge à la laverie du coin de la rue.

Je me mis à rire.

— Ces sortes de boutiques sont bien commodes pour les célibataires !

Nous emportâmes les plateaux que nous venions de préparer et nous installâmes pour finir notre repas. Les sandwiches au fromage nous avaient servi de hors d'œuvre.

— Maman aboie plus qu'elle ne mord ! dit-il en me versant du vin.

— Elle n'aboie pas. Sa voix est douce, calme. Le calme et la douceur des gens bien élevés.

Il haussa les épaules.

— Kate, vous voyez bien ce que je veux dire.

— Oui, je le vois très bien !

Mais je n'étais pas d'accord avec lui. Sylvia Channing, j'en étais certaine, pouvait être très peu scrupuleuse dans ses moyens. Ce qu'elle désirait, il fallait qu'elle l'obtînt, par n'importe quels moyens, même inélégants. C'était pour cette raison qu'elle m'avait parlé de l'ambition de Paul, qu'elle me l'avait décrit arriviste, dur... Et m'avait expliqué qu'il choisirait une femme pour son argent...

— Vous voilà bien sérieuse depuis un instant. Le jambon que j'ai apporté n'est pas bon ?

Sa voix était taquine mais je ne pouvais répondre sur le même ton. Je posai mon verre. Le vin, tout à coup, me semblait amer.

— Kate, ma chérie, que vous arrive-t-il ?

Il se leva et vint vers moi, me souleva comme il l'avait fait l'autre soir, dans le wagon, et me tint serrée dans ses bras.

Nous restâmes ainsi sans parler, sans bouger. Je pus m'apercevoir alors que j'étais presque aussi grande que lui. C'était pourquoi la distance entre nous, nos yeux, nos lèvres, était si mince, si mince... Nous étions tous deux au même niveau, lorsque, simplement, je me haussais sur la pointe des pieds.

Et je le fis sans presque y penser, aussi involontairement que je respirais.

Il poussa une espèce de cri de joie et me tint plus serrée encore. Et sa bouche chercha et trouva la mienne... Et l'appartement disparut, tout disparut. Il ne restait que nous deux.

Cependant quelque chose me tracassait, inconsciemment, car bientôt, je m'écartai, me libérai de ses bras. Une pensée que je ne pouvais discerner avait dû passer dans mon esprit, peut-être simplement, un retour du bon sens ou quelque fragment des remarques désobligeantes de Mme Channing.

Une fois que j'eus réussi à me détacher de lui, tout fut plus facile. La clameur qui résonnait en moi, lancinante, énorme, s'éteignit graduellement, comme la marée se retire.

Et je fus rendue à moi-même. Les lignes autour de moi me redevinrent apparentes. Tout rentra dans l'ordre, l'appartement redevint présent, réel, habituel.

Je me détournai, les mains sur le visage.

Quand j'osai les retirer et relever la tête, quand tout en moi redevint solide et fort, je vis que Paul était à genoux, en train de ramasser les débris d'un verre cassé en mille morceaux. Je ne l'avais pas entendu tomber !

Paul était penché vers le sol, mais quand je remuai, il redressa la tête et me regarda, tenant les débris de verre dans sa paume retournée. Son visage était différent, très expressif, et je sentis de nouveau la faiblesse m'envahir.

— Eh bien ! qu'est-ce qui vous arrive ?

Sa voix aussi était différente.

— Ce qui m'arrive ? Il faudra que j'achète un autre verre, tout simplement.

J'avais réussi à dire cela très légèrement.

— Vous savez bien que ce n'est pas ce que je veux dire.

— Je sais.

J'essayai de détourner les yeux, mais je n'y réussis pas. Nos regards s'attiraient comme des aimants. Je n'avais jamais encore rien éprouvé de pareil. Rien d'une telle intensité... Non, jamais encore.

— Ce qui vient de nous arriver, Kate, est une chose toute naturelle. Nous ne pouvons nier que nous sommes attirés l'un vers l'autre. Nous vibrons sur la même longueur d'onde et nous avons en nous un même désir qui ne demande qu'à s'exprimer...

— Oui. Peut-être...

— Ce n'est pas « peut-être »... Nous savons bien, tous les deux que c'est vrai.

Il avait raison. C'était vrai. Je ne pouvais rien nier de ce qu'il venait de dire. Dès le premier instant de notre première rencontre n'avais-je pas senti ce qui arriverait si nous nous laissions entraîner, si nous lâchions les rênes ?...

Mon élan vers lui avait grandi à chacune de nos rencontres. Chaque fois davantage, j'étais tendue comme une corde de violon...

Paul me regardait toujours avec la même intensité.

— Pourquoi pas, Kate ? Pourquoi pas ?

Ces mots vinrent me heurter de plein fouet. L'impression fut horrible ! Il m'avait quittée déjà. Il ne restait rien de notre étreinte. Tout ce qu'il voulait, c'était une « brève rencontre »...

— Ce n'est pas assez, dis-je.

— Qu'est-ce que ça veut dire, à la fin ?

Je ne pouvais le blâmer de perdre patience. Je me détournai de nouveau et me tint debout, à l'endroit même où se trouvait sa mère quelques heures plus tôt, près de la fenêtre, regardant la rue.

— Je veux dire, essayai-je d'expliquer, que je ne me crois pas faite pour les petites aventures.

J'attendais, retenant mon souffle, le cœur battant. J'attendais. Sa réponse déciderait de tant de choses. Les mots qu'il allait prononcer prouveraient ou non que sa mère avait raison, qu'il était opportuniste, prêt à saisir tout ce qui passait à sa portée, qu'une artiste ne pourrait le séduire qu'un instant, jusqu'à une meilleure occasion...

Dieu ! Avec quelle angoisse j'attendais !

— Les arrangements temporaires peuvent être

les plus délicieux, dit-il enfin, confirmant mes craintes les plus atroces.

— Je ne le pense pas.

J'étais terriblement malheureuse. Cependant, malgré moi, je désirais encore son étreinte.

— Je suppose que vous avez admis des..., diraije arrangements temporaires avec David ?

La question me fit mal. Mais même ainsi je n'avais pas l'intention de mentir. Je dis la vérité toute simple.

— J'étais amoureuse de David et nous devions nous marier très prochainement.

— Et cela fait toute la différence, sans doute ? Cela rend la chose moins... Enfin, c'est un beau cadeau fait avant la fête... le jour de fête du mariage officiel...

— Je... je ne peux oublier David aussi facilement, dis-je d'une voix brisée.

— Vous ne pouvez vivre avec un mort !

— Et, pas davantage, parce qu'il est mort, vivre avec vous ! Il y a autre chose dans la vie que choisir l'amour, simplement pour le plaisir, pour passer un bon moment, comme on apprécie un bon repas, un bon fromage.

Il ne répondit pas, mais je fus effrayée quand je le vis s'avancer vers moi, me saisir les bras et les serrer au point que je dus faire un effort pour étouffer un cri de douleur. Sa bouche était si serrée qu'elle ne formait plus qu'une ligne mince et dure. Ses yeux s'étaient étrécis jusqu'à n'être plus que des fentes étroites, et brillantes d'une folle flamme.

Trop serrée, j'étais incapable de faire un mouvement, mais je me sentis secouée comme s'il essayait de me réduire en bouillie.

Puis, soudain, il me relâcha si brusquement que

je retombais douloureusement sur mes talons, et l'on frappa vigoureusement à la porte.

— Eh !... M'sieur, vous êtes encore là ? Votre voiture gêne le passage... Comment est-ce que pourrait entrer mon camion ?

— Très bien ! Très bien ! Une minute, j'arrive !

Paul enfila en hâte son manteau et me lança un regard par-dessus son épaule.

— Nous nous revoyons lundi, pour ce dîner à quatre ?

— Oui, répondis-je, me mordant les lèvres, cherchant péniblement à recouvrer un semblant d'équilibre.

*
**

Ce dîner à quatre devait avoir lieu à Mellerton pour célébrer l'anniversaire de Flora. Il avait été organisé deux semaines auparavant.

— Oui... Si vous y tenez... Si vous ne venez pas... je... je comprendrai... très bien.

Je butais sur chaque mot, consciente de son regard à la fois furieux et moqueur.

— Je peux ne pas venir ? s'écria-t-il en riant. A cause de ce qui s'est passé, ou de ce qui ne s'est pas passé ? J'ai envie de ne rien changer à ce programme. Un dîner à quatre me convient parfaitement.

Il sourit, ses yeux brillèrent et il referma à demi la porte.

— Paul, je voudrais vous expliquer...

— Je ne peux supporter les femmes qui s'expliquent. Peut-être un jour, en trouverai-je enfin une qui n'essaiera pas...

Je restai à la fenêtre pour le regarder faire marche arrière et sortir de la cour pavée. Il avait une voiture basse, élégante, de couleur crème. Je le vis s'insérer dans le trafic, et je me sentis soudain paniquée. J'aurais voulu pouvoir le rappeler, ouvrir sa portière, lui crier que j'avais changé d'avis, qu'il ne *pouvait* pas partir ainsi, que... que ce n'était plus David que j'aimais...

Mais je ne fis rien. Je restai là, choquée à la pensée qu'il avait préparé son attaque depuis le premier jour, en venant me voir à l'improviste, sous le prétexte de me rendre ma clé, puis qu'il s'était installé chez moi..

Il avait mené son plan avec habileté, avec ruse, ne pressant jamais les choses, sachant, oui, ce que j'éprouvais. Il ne pouvait pas ne pas l'avoir deviné.

Quand il avait pensé le moment venu, il avait essayé l'assaut, comme si la fiancée de David lui appartenait de droit, à sa convenance, à son moment, à son gré...

Toutes les mauvaises raisons qu'il avait énumérées me revenaient à l'esprit. Il attendait que je sois au bout de ma défense, enfin à sa merci.

J'étais révoltée, mais aussi, pour une raison inconnue, j'avais peur...

CHAPITRE VII

Le dîner à quatre avait été organisé pour célébrer l'anniversaire de Flora, son dix-neuvième anniversaire comme elle n'oubliait pas de le faire remarquer.

C'était elle qui avait suggéré cette réunion. C'était bien plus amusant de passer la soirée à quatre qu'à deux !

J'avais trouvé que cette appréciation n'était pas très flatteuse pour André. C'était aussi, à mon avis, une indication de la vie qu'elle lui préparait.

Néanmoins, c'était son anniversaire, aussi en avait-elle décidé comme elle l'avait entendu. J'avais invité Paul, cela m'avait paru une chose très naturelle ; mais c'était avant cette affreuse scène, dans mon appartement.

Maintenant, les choses se présentaient tout autrement et la soirée serait sûrement difficile. L'idée m'avait tracassée tout le week-end.

Le lundi, jour du fameux dîner, je rentrai chez moi par le train de quatre heures. Je devais m'habiller à la maison, où Paul viendrait me rejoindre. Il passerait la nuit chez sa tante, Mlle Field.

André, qui aurait pris Flora au passage, nous

conduirait jusqu'à un restaurant français dans le vieux Mellerton. Un restaurant que Flora connaissait bien.

Mais lorsque j'arrivai à la maison, maman me rejoignit en courant dans le hall. Elle était décoiffée et une ride de souci barrait son front.

— Kate ! Je viens d'avoir un appel téléphonique de la mère d'André. Tu sais qu'elle est la voisine de Granny, à Edimbourg. Granny vient d'avoir une attaque. Une attaque assez bénigne, paraît-il. Mais elle a perdu l'usage du bras droit et elle est très faible sur sa jambe du même côté.

— Oh ! C'est affreux !

Je fis reculer un peu trop brusquement Prud qui s'accrochait à ma jupe.

— Je vais être obligée de partir, dit ma mère.

Je répétai, comme dans un rêve :

— Partir ?... Pour où ?...

— Mais... en Ecosse, à Edimbourg. Il le faut. Je dois voir par moi-même dans quel état elle est. Je ne peux pas la laisser à la charge des voisins.

— Non, bien sûr...

J'essayai de reprendre mes esprits, de m'adapter à cette nouvelle situation.

— Mais, je ne resterai pas longtemps, chérie. Trois semaines, peut-être ou un mois, au maximum !

— Bien sûr il faut y aller, maman, si vous pensez qu'il le faut.

— Je ne peux la laisser à la charge des voisins, répéta-t-elle.

Elle était pâle et tremblante. Je l'emmenai dans le salon.

— Quel train comptez-vous prendre ? J'appelle la gare.

— Je prendrai celui de neuf heures trente, André s'est inquiété des horaires dès qu'il est rentré. Et comme les vacances de demi-trimestre commencent justement demain, il m'accompagnera jusqu'à Londres, et s'occupera de mes bagages.

— C'est gentil de sa part.

— Il est réellement très gentil. Merci, chérie, de ne pas faire de difficultés.

Je me demandais pour quelle raison elle avait dit ça, car je crois n'avoir jamais fait de difficultés. C'est Mère qui fait généralement des embarras... et pour pas grand-chose. Jamais moi. Mais je crois que nous pensons tous que les autres ont les mêmes réactions que nous-mêmes. Là où ma mère aurait fait des embarras, elle craignait que j'en fasse aussi.

— Je sais que tout se passera très bien, ajouta-t-elle, pendant que nous buvions notre thé.

— Bien sûr, dis-je en souriant. Pourquoi pas ? Ne suis-je pas capable d'organiser les choses pendant quelques semaines ?

Je la taquinais un peu, espérant la détendre. Mais elle restait déprimée, distraite, et maintenant que j'y pensais, elle était ainsi depuis quelques semaines. Papa lui manquait-il tellement, ou bien y avait-il quelque chose ? Ou quelqu'un ?...

— J'ai demandé à Cissie de dormir dans la maison, continua ma mère. La chose la plus ennuyeuse est qu'elle est une détestable cuisinière. Ce n'est pas très juste de demander à André de supporter un tel état de choses...

Elle s'interrompit et me regarda. Je savais très bien ce qui allait suivre. Et, en bonne fille, je devançai la question.

— Que diriez-vous, Mère, si je m'installais ici pour travailler pendant votre absence ? Je pense que ce serait possible. Je transporterais ici tout ce qu'il me faut, je travaillerais dans le petit salon au rez-de-chaussée, ou même dans ma chambre. Evidemment, j'aurais à aller à Londres une fois par semaine pour porter mes commandes et voir mon éditeur. Mais je serai toujours là aux heures des repas, au retour de Tom et d'André.

Maman devint rouge de plaisir.

— Oh ! Ce serait merveilleux !

— Alors, c'est entendu !

— Chérie, si j'étais aussi forte que toi...

Elle se leva et vint m'embrasser. Ce qui était très inhabituel. Mère n'est généralement pas démonstrative.

Enfin, c'était ainsi. Les dés étaient jetés : je serais au moins trois semaines en banlieue... Et sans doute davantage. Je connaissais maman !

En montant dans ma chambre, je me dis que cela ferait, au fond, le plus grand bien à ma mère de s'éloigner un peu. Il y avait du reste longtemps qu'elle avait envie de revoir Edimbourg et Granny. Elle s'inquiétait toujours pour elle, y pensait beaucoup. Je me demandais si ce lien trop profond n'avait pas quelque chose à voir avec les troubles du ménage des parents.

Père avait-il pensé qu'il était toujours à la seconde place ? Les hommes détestent ne pas être les premiers, vis-à-vis des gens comme vis-à-vis des choses... Ils adorent se vanter.

Les femmes sont plus dures, pensais-je, à tort, sans doute. Ou peut-être ont-elles plus de possibilités de sublimer leurs déceptions...

Tandis que je prolongeai mon bain, dans la bonne senteur des sels à la résine que je venais d'acheter, je me disais qu'il serait peut-être bon, pour moi également, de rester quelques semaines à la maison. Je ne penserais pas autant à Paul. Ici, il n'y aurait personne pour me le rappeler. Et je n'aurais pas sans cesse sous les yeux, ses affaires, et la porte ouverte de sa chambre.

Avec un peu de chance — et de bon sens — je pourrais peut-être découvrir que mes sentiments pour lui n'étaient pas aussi profond, aussi dévastateurs que je l'avais cru... Je pourrais m'en débarrasser, les laisser s'affaiblir, faute de nourriture...

Et puis, il y aurait mon travail, ce sauveur, cette chose bienheureuse qui ne m'avait jamais trahie dans les moments les plus difficiles.

C'était cela, ma vraie chance. Comment font donc les pauvres humains, pensai-je, quand ils n'ont pas quelque chose qui les soutient ? Je savais que je n'avais guère de talent, mais il était suffisant pour que je puisse m'y cramponner lorsque les choses allaient mal.

Paul pourrait disposer de tout l'appartement tant que mère serait absente, s'il le désirait. Il pourrait y recevoir des amis... et même sa petite amie, peut-être ! Cette pensée m'était odieuse, mais je me hâtai de l'écarter. Ce n'était pas le moment d'y penser.

J'avais l'air de mon fantôme dans le miroir de la salle de bains, couvert de buée. Un fantôme blanchâtre, bien mince, aussi, avec un chignon fort serré au-dessus de la tête.

« La sorcière blanche des « Sorbiers » pensai-je en essuyant le miroir. Maintenant, mon visage hautain et dédaigneux, comme toujours quand je me coiffais de cette façon-là, me considérait d'un air pensif...

Il y avait de quoi. Je m'interrogeais sur ce que j'allais mettre ce soir...

Je me décidai pour une robe princesse en jersey de soie, d'un beige très doux, presque crèmeux, avec la ceinture assortie. Je défis mon chignon, et mes cheveux bouclèrent, très obligeamment.

Dans l'ensemble, ce n'était pas trop mal. Les gens me disaient souvent que je ressemblais à Granny Steward, quand elle avait mon âge. Je savais que j'avais son tempérament : entêtée, détestant être influencée, refusant d'être manipulée à volonté.

Mais Granny Steward n'aurait jamais jeté son bonnet par dessus les moulins... Et je l'avais fait... avec David, avant le mariage... Elle ne se serait jamais mise dans la situation où je m'étais trouvée : « Puisque vous l'avez fait avec lui, pourquoi pas avec moi ?... » ou des mots de ce genre qui m'avaient humiliée à mort.

Je m'étais sentie moins que la poussière des chemins, moins que l'ombre de l'ombre d'une fille « bien »...

« Oublie-le, Kate, Oublie-le... »

Comment l'aurais-je pu alors que j'allais le voir ce soir, d'une minute à l'autre, maintenant !

— Tu es très en beauté, me dit ma mère, lorsque je descendis.

Je compris que, même si c'était vrai, elle était surtout contente du geste que j'avais eu. Cela la rendait sans doute particulièrement indulgente...

Oui, mais il allait falloir que je déménage tout mon fouillis... Ce ne serait pas une mince affaire...

Je récapitulai : les cartons à dessin, le papier, la peinture. Tout cela ne tiendrait pas dans un paquet possible à emmener dans le train. Il faudrait que j'organise un transport par la route.

Les doubles rideaux n'étaient pas tirés. Dans le crépuscule, je pouvais voir une silhouette en mouvement, sous les arbres. Etait-ce ?... Oui, c'était Paul. Marchant rapidement, puis, quand il prit le dernier tournant avant la maison, ralentissant.

Derrière lui, dans l'ombre grandissante, je crus voir une autre ombre qui me mit mal à l'aise. Mais je n'eus pas le temps de m'attarder davantage. Paul arrivait... J'avais la bouche sèche.

La sonnette retentit et je ne bougeai toujours pas. J'entendis Tom venir ouvrir la porte.

— Bonsoir. Etes-vous monsieur Channing ?

Tom était ultra-poli. Penfold Scool, son école, aurait été fière de sa bonne éducation. On s'y employait avec un soin qui n'était pas toujours aussi bien récompensé...

— Je suis Channing et vous, vous êtes Tom.

La voix résonnait longuement bien qu'elle fût très basse.

— Oui, je suis le frère de Kate. Elle est au salon tout à fait prête, depuis un bon moment...

Je l'aurais tué volontiers ! Paul entra et Mère sursauta.

— Dieu ! Comme vous ressemblez à votre frère.

— Nous sommes de vrais jumeaux, répondit-il.

Et je ne pus m'empêcher de me demander combien de fois dans sa vie il avait dû répéter la même phrase.

— Voulez-vous un peu de sherry ? demandai-je, un sourire de commande plaqué sur mon visage, si large, si excessif, qu'il me semblait qu'il allait jusqu'à mes oreilles.

— Merci, cela me ferait plaisir.

Je le vis qui regardait ma robe avec intérêt, puis

mes mains, quand je versai le sherry dans son verre.

Il prit le verre avec un petit salut très poli et quand je m'assis, Maman commença à parler de l'attaque de Granny. Mais, moi, j'entendais toujours l'exclamation qu'elle avait poussée à l'arrivée de Paul. C'était si frappant, cette ressemblance, si... éprouvant ! Assis dans le fauteuil de chintz bleu, éclairé de profil par la lampe, il ressemblait tellement à David que le cœur me manqua.

Il me donnait envie de le toucher pour être sûre qu'il était bien réel. J'avais envie d'être près de lui, tout près... C'était à cause de cette ressemblance qu'il m'attirait, c'était ce qui me faisait souhaiter être dans ses bras...

Pourtant, lorsque je m'y étais trouvée, si dangereusement, cela n'avait pas été du tout la même chose... Il y avait un monde de différence que je n'arrivais pas à définir, que je ne désirais pas définir...

Nous restâmes un moment seuls au salon, quand Maman, s'excusant de quelques mots incompréhensibles, quitta la pièce rapidement. Tom venait de regagner sa chambre.

— Vous semblez très différente dans cet environnement, dit Paul en se rasseyant après que maman eut disparu.

Je fixai la fenêtre. A travers la vitre, je pouvais voir les sorbiers de l'allée se balancer comme s'ils se saluaient.

— Cela est fréquent, je pense, répondis-je en souriant.

Je me sentais plus calme.

— Comme les peintures dans un cadre différent, je suppose, ajoutai-je.

— Ce cadre, je pense, vous convient mieux que tout autre. Vous semblez..., comment dire, presque royale, ce soir.

Etait-ce un compliment ? Oui, je crois que c'en était un. Le plaisir m'envahit comme une immense flamme. Nous restâmes un moment sans parler. Puis Paul prit la parole, gâchant cette précieuse minute.

— Je regrette ce qui s'est passé, Kate. J'ai rompu notre engagement. Peut-être verbal, il n'en était pas moins respectable. J'aurais dû m'en rendre mieux compte. J'ai fait une grosse erreur. Pardonnez-moi !

Le sherry tremblait dans mon verre. Je dus le poser rapidement sur la table la plus proche. Je savais que je devais lui répondre. Mais il m'avait prise de court. Je détestais sa manière de faire des excuses. Elle ne faisait que rendre les choses pires. S'il avait eu quelque bon sens, il aurait fait ce qu'aurait fait n'importe quel autre homme. Il aurait laissé ce pénible épisode mourir de mort naturelle...

— Vous n'avez vraiment aucune raison de vous inquiéter à ce sujet. C'était simplement une de ces choses...

— Qu'il vaut mieux éviter ?

— Je le pense, oui. Je dois, du reste, vous prévenir que je n'occuperai pas l'appartement pendant les quatre prochaines semaines.

Je lui expliquai ce qui venait d'arriver. Il me regardait par-dessus son verre.

— Eh bien, cela tombe merveilleusement, semble-t-il.

— Je me demandais si vous aimeriez garder l'appartement entier pendant ce temps.

— Bien volontiers, répondit-il, si rapidement

que je fus persuadée qu'il n'attendait que cette offre.

Il eut un regard satisfait. A moins que ce fût du soulagement ? Ce qui aurait été plus flatteur, dans la situation où il m'avait mise.

— Je serai obligée de vous demander de payer le loyer entièrement, ajoutai-je.

J'étais horrifiée de m'entendre. Pourquoi, au nom du ciel, pourquoi avais-je dit çà ?...

— Naturellement. Vous n'aviez pas besoin... Cela va sans dire...

Nous jouions tous deux la comédie. Je semblais très femme d'affaires, mais je m'en voulais beaucoup, dans mon for intérieur, du rôle que je m'étais attribué. Nous aurions aussi bien pu être deux étrangers, n'ayant que des relations d'affaires momentanées. J'en avais honte !

— Et, comment vous le règlerai-je ? Allons-nous continuer à nous rencontrer tous les vendredis ?

— Je pense qu'il serait préférable que vous m'envoyiez l'argent, dis-je en évitant son regard.

Il inclina la tête sans parler.

C'est à ce moment qu'André et Flora nous rejoignirent. Je fis les présentations et nous nous assîmes en rond, un verre d'apéritif à la main. Flora produisit son effet habituel, cette fois sur Paul, Je le vis la fixer avec attention.

Elle avait changé d'aspect, ce soir. Elle était vêtue de velours noir. Ce qui était assez imprévu de sa part.

Elle avait une robe collante et très décolletée, avec des manches de crèpe de chine fronçées, qui ressemblaient à des ailes. Je ne l'aurais cependant jamais prise pour un ange...

C'était une tenue très sophistiquée, si différente

du style « petite fille » qu'elle semblait particulièrement affectionner, que j'en avais eu, même moi, le souffle coupé.

Ses anglaises avaient été rassemblées sur le dessus de sa tête en un chignon de boucles, et formaient une couronne sur le sommet du crâne. Ses oreilles ainsi dégagées étaient ornées de grosses perles dans un anneau d'argent ou de platine.

— C'est le cadeau d'André pour mon anniversaire, expliqua-t-elle de son ton doucereux habituel.

Et elle lui sourit d'une telle façon que cela me donna une furieuse envie de dire un mot grossier.

— Puisque nous sommes tous là, intervint André, nous ferions aussi bien de partir. Notre table est retenue pour huit heures exactement.

Alors, nous nous empilâmes dans la voiture de sport. Paul devant, à côté d'André, et moi, affreusement coincée près de Flora.

Dieu sait dans quel état ma robe sortirait de cette aventure !

— Aimez-vous la nouvelle voiture d'André ?

— Je la déteste, m'exclamai-je, coupant ainsi à Flora tous ses effets.

Evidemment, elle était assez minuscule pour s'y trouver à l'aise, pensai-je avec ressentiment.

C'était Flora qui avait choisi le restaurant. Un restaurant français, le Colisée. Il était sur la voie principale menant au vieux Mellerton, et tenu par un Français qui connaissait parfaitement son affaire.

Flora semblait comme chez elle et faisait beaucoup d'embarras, comme d'habitude. Le Français qui ne manquait ni de psychologie ni de métier, l'y aidait, en faisant de grands souhaits de bon anniversaire.

— Je viens très souvent ici, confia-t-elle à Paul.

Ma mère était française. Aussi ai-je un penchant naturel pour tout ce qui est français.

Elle n'aurait rien pu dire qui fût capable d'intéresser davantage ce cher Paul. Je pensais qu'elle l'avait fait sciemment, mais je ne pouvais en être sûre.

Ce dont je me rendis compte, en tout cas, très rapidement, c'est qu'elle avait décidé de se mettre en frais pour lui, ce soir. Durant tout le repas, elle ne s'entretint pratiquement qu'avec lui.

Il était flatté, évidemment ! Quel homme ne l'eût été ! Il avalait tout ce qu'elle lui murmurait, en même temps que l'excellent repas qu'elle avait commandé.

Quant à André, il s'était tranquillement retiré dans sa coquille, laissant le terrain absolument vide de sa présence. Il aurait pu n'être pas présent, sauf pour moi, avec qui il échangeait parfois quelques mots aimables.

J'étais navrée pour lui de la situation, mais furieuse aussi. « Montre-toi et combats », me disai-je, essayant la transmission de pensée. « C'est ta fiancée, que diable. Remets-la dans le creux ! »

Pourtant, il n'en prenait pas le chemin. Il restait là, passif, d'un air de mauvaise humeur, de peine aussi, comme le peut seulement un Ecossais.

Peut-être aurais-je dû, tenter quelque chose ? Mais pourquoi me donner ce mal ? pensai-je un peu cyniquement. Il ne la garderait jamais toute une vie. Il allait se la faire souffler avant qu'il ne soit longtemps. Pourquoi pas maintenant, ce soir ?

Sans doute le fait qu'elle flirtait ouvertement avec Paul était-il pour beaucoup dans mes réflexions désabusées. Mais, après tout, je n'avais aucun droit sur lui. Pourquoi aurais-je combattu à la place d'André ?

— Je suppose que vous êtes bilingue, demandait Paul à Flora.

— Bien sûr !

Elle se rengorgeait et je me demandais si elle zozotait aussi précieusement en français qu'en anglais.

Peu après, nous nous levâmes pour danser. D'une façon que je trouvai incorrecte, Paul avait invité Flora. Je me trouvai donc dans les bras d'André.

— Mon ami, ne pus-je m'empêcher de lui dire, ne faites pas cette tête !

Il regardait d'un œil mauvais Flora virevolter légèrement, très assurée par la poigne vigoureuse de Paul.

— Qu'est-ce que vous voulez dire ? grommela-t-il, au-dessus de ma tête. Je ne l'avais jamais trouvé aussi grand. Je n'aurais jamais pensé, non plus, qu'il danse aussi bien. Il me conduisait parfaitement, en dépit de son visage boudeur. Peu à peu, en dansant, il se détendait.

J'attendis un moment avant de lui répondre.

— Cela veut dire, André, qu'il faut vous familiariser avec l'idée que Flora attire tous les mâles, qui gravitent autour d'elle. Elle les incite à se sentir protecteurs, très virils. Elle fait cela avec un art très consommé de la coquetterie, et pas le moins du monde puéril. J'espère que vous le savez aussi.

Ma dernière réflexion était un coup de patte très net. Cela fit sourire André.

— Est-ce que cela vous ennuie ? demanda-t-il.

— Evidemment ! Mais je suppose que c'est surtout mon amour propre féminin qui est en cause. Rien de plus ! Car, à part cela, il n'y a pas grand-chose entre Paul et moi. Un simple arrangement de location en commun. Une affaire qui nous convient à tous deux également.

— Vous avez de la chance !

— Oui, bien sûr. Mais vous parlez bien de l'appartement ?

— Non. Pas du tout. Il se trouve que j'aime Flora. Que je l'aime d'amour.

Le regardant plus attentivement, j'eus l'impression qu'il était un peu ivre. Non, pas réellement ivre, mais rendu plus loquace par la boisson. Sans un peu d'alcool dans les veines, il ne m'aurait jamais fait une telle confidence, il ne se serait jamais découvert ainsi. En fait, il n'aurait rien livré de ce qu'il pouvait ressentir ce soir.

Pour la danse suivante, Paul m'invita, et André se retrouva tête à tête avec Flora. Dès les premiers pas, Paul essaya de mettre les choses au point.

— Je suis désolé, Kate, dit-il. J'ai été littéralement enlevé ! Je ne pouvais tout de même pas être grossier avec elle, le soir de son anniversaire.

— Evidemment. Disons : heureux Paul et pauvre André...

— Il devrait se montrer beaucoup plus ferme avec elle.

Je ne répondis pas. Je venais de m'autoriser à me laisser aller juste un peu, juste un moment... Etre dans les bras de Paul était confortable, merveilleux... J'avais sûrement un peu trop bu, moi aussi. Comme il me semblait facile à cette minute de ne plus penser, de ne plus analyser, de me laisser seulement entraîner, de me laisser aller à rêver...

— Nous sommes invités à aller chez les Phelps, en sortant d'ici, me dit Paul.

— Ah ? Vraiment ?

— Est-ce que cela vous convient ?

— Nous n'avons guère le choix. Oubliez-vous que nous circulons ce soir dans la voiture d'André ?

S'il avait noté l'acidité du ton, il n'en montra rien. Il continuait à m'entraîner avec maîtrise à travers les autres couples, m'évitant les heurts sur la piste qui commençait à s'animer davantage.

— J'ai découvert, continua Paul, que le professeur et mon père s'étaient connus. Phelps possède un échiquier de jade que mon père lui a vendu. Il a rencontré ma mère également. Il y a longtemps, évidemment, puisque c'était du temps où père vivait encore.

— C'est curieux !

Il m'écarta légèrement de lui pour mieux me voir.

— Kate, que vous arrive-t-il ?

— Rien, dis-je, rien du tout. Mais, à moins que vous changiez de manière ce soir avec Flora, André fera certainement un éclat. Je peux vous l'assurer.

— Parce que j'ai dansé la première danse avec Flora ?

— Parce que vous lui avez tapé dans l'œil. Parce qu'elle a gobé tout ce que vous lui avez sorti ce soir comme boniment. Elle a avalé non seulement la ligne mais l'hameçon !

— Goss est un fou, s'il s'imagine qu'il peut conserver cette fille pour lui tout seul, la mettre en cage !

— Ou dans un cercueil de verre comme Blanche-Neige.

— Décidément, vous l'adorez... Mais, puisque nous en sommes à faire des comparaisons, je suis d'accord qu'elle a tout à fait le regard de Blanche-Neige.

Je ne l'avais pas volé. C'est moi qui avais commencé à critiquer, d'une façon acerbe. Cela ne m'empêchait pas d'avoir mal.

Je savais que je serais soulagée quand la soirée se terminerait. Tout avait été un terrible fiasco. Flora et André auraient dû être laissés seuls, pour cette soirée. Entre eux.

CHAPITRE VIII

Thaxted House, où habitaient les Phelps, était une demeure très pittoresque. Elle était bien située, au cœur d'une très belle région. On y accédait par une allée, qui présentait l'aspect poétique d'un véritable tunnel d'yeuses dont les branches formaient d'admirables arceaux au-dessus de nos têtes.

Toutes les fenêtres de la façade étaient illuminées quand nous quittâmes la voiture d'André, devant le perron.

L'ensemble était ravissant, entouré de haies de verdure ; comme un bijou dans son écrin.

La maison n'était pas très grande, mais les terrains autour donnaient une impression d'immensité.

— Nous aimons être tout à fait chez nous, expliqua Flora à la suite d'une réflexion de Paul.

Elle était plus qu'un peu ivre. Elle insista pour actionner la cloche, à la porte d'entrée. Cela donna un son grave et musical qui sembla être répercuté par l'écho.

Le professeur Phelps vint nous ouvrir, en smoking rouge foncé. Un grand progrès, pensai-je, sur le festival de gris qu'il avait fait admirer à la maison. Ses cheveux coiffés en arrière brillaient comme de l'argent sous les lumières.

Chez lui, il semblait plus vivant, plus coloré, plus gai. Bien sûr cette gaieté pouvait être factice. Une manière de faire plaisir à sa fille pour sa soirée d'anniversaire. Mais elle existait. Il regardait Flora avec fierté. Elle comptait certainement beaucoup pour lui. Et c'était assez touchant.

Quand nous fûmes tous réunis dans le grand hall carré qui ressemblait à un salon, je me rendis compte qu'il régnait à l'intérieur de la maison une chaleur très grande. On se serait cru dans une serre.

Le professeur nous entraîna dans une pièce qui devait être son bureau. Les murs étaient chargés de livres et un grand feu de charbon brûlait dans la cheminée. Quelques très beaux objets anciens rompaient la monotonie des rangées de reliures. Des jades pour la plupart. Immédiatement, cela me rappela l'appartement de Mme Channing. Il y avait des merveilles de ce genre.

— Je pense que vous connaissiez mon père, monsieur ?

Paul venait de poser la question d'un ton aimable.

— Flora m'a dit que vous lui aviez acheté quelques pièces de collection.

Immédiatement, ils furent au cœur de leur passion. Tous deux adoraient les antiquités. J'entendis le nom de Mme Channing prononcé deux fois.

Flora se joignit à la conversation. Elle semblait elle-même, très au courant de ces choses. André et moi restâmes silencieux. Nous étions en dehors du cercle enchanté.

Je bus un verre de jus de fruit, de l'ananas, et

je le trouvais trop sucré. André avait pris un verre de whisky.

Evidemment, pensai-je, amusé, il est écossais. C'est sa boisson habituelle. Il leva les yeux et rencontra les miens. Alors, il prit ma main et la serra dans la sienne. C'était assez surprenant de sa part, mais je suppose que, de même que moi, il se sentait à l'écart. Et voulait me montrer qu'il sympathisait. Et moi, la seule chose qui me venait à l'esprit, était que Flora était riche, qu'elle le serait encore davantage plus tard, et deviendrait alors une héritière tout à fait capable d'intéresser un garçon comme Paul. Un homme qui voulait, selon la propre expression de sa mère, aller haut et loin.

Cette réflexion m'irrita contre moi-même. N'étais-je pas en train de tomber dans le piège qu'elle m'avait tendu ? Le poison qu'elle avait instillé en moi agissait. C'était déjà pour elle une première victoire. Je devais contrôler ma façon de juger, Je ne la laisserais pas gagner de cette façon !

— Nous devrions partir maintenant, dit André, au moment où je lui retirais ma main. Il est tard.

Je me demandais comment allaient s'organiser notre installation dans la voiture au retour. Allais-je m'asseoir devant auprès du conducteur, ou aller à l'arrière, comme à l'aller ?

Cette question fut rapidement résolue. Et par Paul. Il déclara qu'il repartirait à pied.

— A pied ? dis-je d'un ton crédule. Mais, il y a quatre bons kilomètres.

— Je sais, mais j'ai besoin de prendre un peu l'air. Et puis, il y a une chose à laquelle j'ai besoin de réfléchir.

Il dit cela lorsque, déjà dehors, nous nous trouvions côte à côte. Ses lèvres frôlèrent ma joue.

— Paul...

— Ça ne vous ennuie pas ? demanda-t-il.

— Non, bien sûr. Pas du tout !

Mais déjà mon esprit était préoccupé de tout ce qui risque d'arriver, de nuit, sur un tel trajet : une branche qui se casse et tombe, un trou dans lequel on se tord la cheville, quelqu'un qui cherche à vous attaquer... Et...

— Ne vous faites pas de souci. La route est facile. Et j'aime marcher. Il y a des moments où cela m'est nécessaire.

Il souhaita une bonne nuit aux autres et partit d'un bon pas. Bientôt sa silhouette disparut à travers les arbres.

— Curieux garçon ! dit André en faisant faire demi-tour à sa voiture.

— Je ne vois pas ce qui vous fait dire cela, simplement parce qu'il a envie de marcher un peu ?

— Bien sûr, répondit-il d'une voix distraite.

Puis, il ne desserra plus les dents jusqu'à ce que nous soyons de retour.

Aux Sorbiers, je me dépêchai de lui préparer du café. Cela l'empêcherait peut-être de dormir, mais ça le dégriserait. Avec un peu de chance, j'améliorerais aussi ses humeurs sombres.

Mon café ne devait pas être assez fort... Car il déclara, un peu plus tard, en le buvant :

— Il est bien évident qu'elle n'a que faire d'un gâcheur comme moi...

Il était en train de s'apitoyer sur lui-même. Je ne voulais pas le suivre sur ce terrain.

— Vous vous sentirez mieux demain matin, lui dis-je gentiment.

Cette réflexion anodine fit l'effet d'une cape rouge sur un taureau.

— Vous n'auriez pas levé le petit doigt ! me dit-il d'un ton accusateur.

— *Vous* n'avez pas levé le petit doigt, répliquai-je. Flora est *votre* fiancée. Vous auriez dû la malmener un peu. Je suis sûre qu'elle aurait adoré que vous jouiez l'homme des cavernes...

— Elle n'est pas ainsi.

— Je parierais bien que si !

J'étais peinée qu'il rejetât le blâme sur moi. C'était à lui de prendre l'initiative.

— Flora est très jeune, dit-il, et très protégée. Mais on la bluffe très facilement.

— Non, elle ne se laisse pas bluffer par vous ! Tout ce qu'elle désire, vous le lui offrez sur un plateau ! C'est elle qui devrait aimer ce que vous faites, ce que vous êtes. C'est ainsi, quand on aime.

Ce langage était osé de ma part. Je craignais bien qu'il ne m'envoie promener, moi et mes leçons d'amour... Dans l'état d'esprit où il était...

Pourtant c'est le contraire qui se produisit.

— Je sais que vous avez raison, dit-il avec tristesse.

Il déplaça sa chaise pour se rapprocher de moi et me posa la main sur l'épaule. Je sentis l'odeur du whisky, tandis qu'il approchait son visage du mien.

Cela ne m'était pas désagréable, parce que je le connaissais bien et l'aimais bien aussi, qu'il fût ou non d'humeur chagrine. Mais je me sentis cependant embarrassée.

Je savais que, au réveil, s'il se souvenait de ce moment, il détesterait la façon dont il se conduisait ce soir. Bientôt, dès demain, nous serions seuls dans la maison. Maman serait absente pendant plusieurs semaines.

J'essayai de me reculer un peu... mais c'était

très difficile. Sa main était lourde sur mon épaule. Il ne cédait pas d'un pouce.

— La vie est curieuse, quand on y réfléchit, Kate. On aurait plutôt pensé que nous aurions pu être amoureux l'un de l'autre. Nous avons le même type. Nous croyons aux mêmes choses, nous avons des intérêts communs. Nous avons même, ensemble, une couleur de cheveux assez exceptionnelle !

Il avança son autre main et la passa derrière ma tête, réunissant mes cheveux épars en une queue de cheval, qu'il tirait en arrière.

Pendant une seconde, je restai dans cette position, comme pétrifiée. Puis, je me détendis en un brusque mouvement qui projeta ma chaise à terre et, m'arcboutant à la table, je la repoussai.

Il me libéra immédiatement.

— Pardonnez-moi, Kate. Il faut que je sois ivre... Excusez-moi, je vous en prie.

— Ce n'est rien de grave, André. Je sais bien que vous avez trop bu ce soir ; Mais il faut tout autre chose que des intérêts communs et une semblable couleur de cheveux pour qu'un homme et une femme soient amoureux l'un de l'autre !

J'avais pris le ton de la plaisanterie pour ne pas sembler donner d'importance à la chose.

— Pardonnez-moi ! répéta-t-il en montant lentement l'escalier pour regagner sa chambre.

Il prenait beaucoup de peine pour ne pas trébucher et ne pas faire de bruit. Il me faisait pitié.

Le lendemain, au moment où je prenais le train pour Londres, la première personne que j'aperçus fut Mlle Field, dans un tailleur de tweed vert vif.

Le convoi arrivait, tressautant entre les aiguillages. Nous montâmes dans le même wagon. Comment faire autrement ?

Le compartiment était vide. C'étaient les vacances de mi-trimestre et, comme André, elle était en congé pour une dizaine de jours.

André était parti le matin-même accompagner ma mère à la gare. Elle était chargée de bagages comme pour un séjour d'au moins trois mois.

Et j'avais pensé de nouveau, au moment où je l'embrassais devant la porte des Sorbiers, qu'elle était, au fond, ravie de partir.

Elle mourait d'envie de revoir Edimbourg. Cela n'était pas normal, et je me souciais de ce départ qui était autant une fuite qu'une envie d'aller porter secours à sa mère. Mais, je n'y pouvais rien.

J'espérais simplement qu'elle reviendrait sans trop de peine... et sans trop tarder.

Mademoiselle Field lança un sac de voyage très démodé sur le porte-bagages. Puis, elle se rassit, à la place voisine de la mienne, souriant aimablement. Elle avait posé son journal non déplié, sur ses genoux.

— Autant voyager ensemble, me dit-elle d'un air encourageant tandis que le train s'ébranlait. Mais je pensais que vous preniez un train plus tôt dans la matinée.

— Tout à fait exact ! Prendre comme aujourd'hui le train de dix heures est tout à fait exceptionnel. Généralement, c'est celui de neuf heures qui m'emmène à Londres. Mais je ne travaille pas ce matin, je déménage.

Je me mis à lui expliquer ce qui venait d'arriver à Granny.

Elle se frottait le nez d'un air pensif.

— Oui. Je me souviens en effet, que Paul m'en a touché un mot, ce matin, pendant le petit déjeuner. J'aurais dû penser que vous vous lèveriez tard...

Elle me lança un petit regard oblique, son épaule touchant la mienne. Ce n'était pas un contact de hasard. Enfin, pas tout à fait.

— Vous allez beaucoup lui manquer, dit-elle d'un ton de confidence. C'était un arrangement parfait que vous aviez trouvé pour votre appartement. Original, mais très astucieux !

C'était une façon de tâter le terrain. Mais cela ne me fâchait pas. J'aimais bien Mlle Field, et je savais qu'elle n'était pas malveillante. Cela m'incita à lui donner quelques détails complémentaires.

— C'était, en effet, un plan commode. Et cela a fort bien marché. Maintenant, Paul va pouvoir disposer de l'appartement, entier, pendant quatre semaines. Cela lui fera certainement plaisir. C'est ce dont il a eu envie depuis le début. Le partage pour lui n'était qu'un pis-aller. Pourtant, c'est quelque chose de bien peu luxueux pour un garçon comme lui...

— J'espère que vous lui laissez régler le loyer entièrement ? Les affaires sont les affaires, Catherine, et l'heure n'est pas à la philantropie. La vie est bien trop difficile, en ce moment, pour cela...

— Vous avez certainement raison. Et, en effet, il prend tout le loyer à sa charge durant ce mois-ci.

Je regardai un moment, en silence, défiler le paysage. Je me sentais très mal à mon aise. C'était comme si une main de fer serrait mon cœur, et m'empêchait de respirer aussi complètement que j'en éprouvais l'impérieux besoin.

J'avais pris une très horrible décision durant

la nuit. J'en étais d'avance très malheureuse et pourtant, je savais que j'irais jusqu'au bout.

J'allais dire à Paul que, ce mois de location terminé, il ne fallait plus qu'il compte demeurer là, même en partage. Surtout, en partage... Je ne pouvais continuer à le voir, étant donné tout ce qui s'était passé entre nous. Je n'aurais pu le supporter.

Du reste, pour être plus sûre de ne pas faiblir, j'avais l'intention de lui faire part de cette irrévocable décision par lettre et non au cours d'un entretien. C'était sans doute lâche de ma part, mais j'aurais été incapable de le regarder à ce moment-là. Il était peu vraisemblable que nous nous rencontrions plus tard. La dernière soirée avait fini de me donner le courage de rompre toute relation avec lui.

— Nous aimons beaucoup votre monsieur Goss, au collège, était en train de me dire Mlle Field, ou plutôt de me le chuchoter dans le creux de l'oreille.

Il est vrai que le train, franchissant bruyamment les aiguillages, gênait toute conversation normale. C'était un rapide.

Je serais à Londres à onze heures. L'emballage de mes affaires me prendrait bien une heure. Le camion qu'André avait commandé pour moi arriverait à midi. Je serais dans les temps.

— Oui, il est très gentil, dis-je, sortant de mes calculs. Nous nous entendons parfaitement et il se rend très utile à la maison.

— La direction pense beaucoup de bien de lui. C'est un garçon si capable... La vocation devient rare, actuellement. Nous espérons tous qu'il se fixera dans la région pour longtemps.

— C'est fort possible, répondis-je.

Mais j'en doutais. Que ferait-il si, comme c'était prévisible, Flora le laissait tomber... ?

— Il est fiancé à cette charmante fille du professeur Phelps, continua Mlle Fields. Cela me semble un pari assez curieux. L'attraction des contrastes, je suppose... C'est en tout cas ce qu'on est amené à penser. Naturellement, continua-t-elle après un instant de réflexion, il y a de l'argent de ce côté-là. Les Phelps ont une fortune certainement considérable. La mère de la jeune fille a laissé un bel héritage. C'était la fille d'un comte français, si je me souviens bien. J'ai entendu parler de la famille par mon beau-frère. Je devrais dire, feu mon beau-frère.

— Le mari de madame Channing ?

— C'est cela même. Lui et le professeur appartenaient au même cercle de passionnés d'antiquités. Ils ont souvent fait des échanges ou des transactions. La jeune personne sera certainement bien pourvue !

Toutes ces histoires de monnaie, d'argent, me rendaient franchement malade. Je dis, d'un ton sûrement trop belliqueux :

— André Goss n'est pas pauvre non plus. Et certainement d'excellente famille. Je trouve que Flora a de la chance d'avoir rencontré quelqu'un de sa qualité. Il est honnête, loyal et, en ce qui concerne l'argent, je serais assez disposée à croire que c'est pour lui un moyen, et non une fin. Et je suis certaine qu'il tiendra à assurer l'existence de sa femme avec ses propres ressources.

Elle me regarda avec quelque surprise. Et je ne pouvais le lui reprocher. Qu'est-ce qui m'arrivait de prendre ainsi fait et cause pour André, que je connaissais en somme assez peu ?

— Je vois, dit Mlle Field, qu'il a trouvé en vous

un défenseur courageux. Vous êtes une excellente amie, Catherine. Et une fille loyale, également.

— Oh ! Je ne...

Je me sentais très sotte. J'avais horriblement rougi. Je trouvais toujours un peu scandaleux qu'on pense toujours en termes d'argent. Et, dans le cas particulier, je ne considérais pas comme une bonne affaire que le pauvre André se soit entiché de Flora. Elle n'était pas du tout la femme qu'il lui aurait fallu.

— Même si la conversation ne nous avait pas entraînées du côté des Phelps, j'aurais dit et pensé que vous êtes une fille très loyale, Catherine, dit Mlle Field.

Je sentis que je me figeais intérieurement. Je savais ce qui allait suivre. D'André, on allait passer à David et de David, à Paul, ou aux deux ensemble.

— Je ne crois pas... répétai-je.

Nous traversions maintenant une affreuse banlieue ; des maisons grises et sales, dans un quartier ouvrier. Le train longeait ce triste paysage. J'aurais souhaité que le compartiment fût plein. Ainsi Mlle Field n'aurait pas été aussi libre de bavarder.

— La loyauté peut, parfois, être portée trop loin, continuait-elle, implacablement, me semblait-il. Trop loin et trop longtemps. On se doit aussi d'être loyal... avec la vie.

Elle ne se rendait sans doute pas compte que j'aurais voulu entrer dans un trou de souris.

— Mademoiselle Field... je sais que vous avez le désir d'être bonne...

Rien maintenant, semblait-il, ne pouvait plus l'arrêter.

— David, expliquait-elle, insistante, David s'inquiétait beaucoup trop de l'opinion et des désirs de sa mère. Vous le savez parfaitement. Elle était accrochée à l'idée de le conserver près d'elle. Pour cela, tous les moyens étaient bons.

— Mademoiselle...

— Un homme doit savoir se détacher à temps de sa mère. Lutter seul et fort s'il veut pouvoir se faire une vie qui lui appartienne réellement et qu'il puisse en toute honnêteté partager avec la femme qu'il a choisie. Paul peut sembler dur, mais il a su couper des liens trop étroits. Il savait ce qu'il se devait à lui-même. Dans le fond, il n'est pas insensible, pas dur le moins du monde. Il est aussi gentil que David, aussi bon. Il ajoute seulement à ces indéniables qualités un peu de camouflage... si je puis dire, ajouta-t-elle, en souriant de sa comparaison.

— Je vois..., dis-je, toujours aussi embarrassée, et souhaitant de tout mon cœur qu'elle se taise.

Je me demandais quelle fantaisie lui avait prise de parler ainsi dans un train. Et pourquoi elle l'avait fait ? Que se passait-il dans cette tête aux cheveux en désordre, sous ce chapeau de feutre vert ?...

— Ma sœur, acheva-t-elle, sait très bien que Paul la quittera un de ces jours. Elle essaie de tirer le maximum de sa présence en attendant... C'est tout ! Mais...

— Espérons qu'elle en tirera ce maximum auquel elle semble très attachée, quel que soit ce maximum. Nous avons tous nos ambitions..., coupai-je rapidement.

Je pense que j'y réussis, car elle ne dit plus un mot jusqu'à l'arrivée à Londres.

Nous nous séparâmes à l'entrée du métro.

En me quittant, elle me dit encore :

— J'espère que je ne vous ai pas ennuyée, Catherine ?

— Non, non. Pas du tout.

Elle me sourit :

— C'est que, voyez-vous, mon enfant, il y a des moments où il faut tenir sa langue, mais il en est d'autres où l'on doit parler.

C'est sur ces mots pleins de sagesse qu'elle me quitta.

⁂

Une fois arrivée dans l'appartement, je ne perdis pas de temps.

Je vidai les placards, les tiroirs de commode, mis dans des boîtes les esquisses dont je pourrais avoir besoin. Ce ne fut pas un mince travail ! Mais, finalement, tout entra dans une vieille malle de cabine qui datait de mes arrières-grands-parents. Elle était énorme.

J'espérais cependant que le camionneur n'aurait pas trop de difficulté à lui faire descendre l'escalier, M. Parkes avait promis de l'aider. C'est avec soulagement que j'empilai les derniers outils et fermai le couvercle bombé de molesquine.

Maintenant, la pièce semblait très nue, mais propre, sans mon habituel fouillis. Les murs renvoyaient l'écho du moindre bruit, tandis que je m'affairais à balayer, essuyer la poussière, et ranger les quelques meubles qui restaient, afin que Paul ait plus de place disponible.

Après tout, puisque ce serait son dernier mois, autant le lui rendre agréable !

Evidemment, pensais-je pourtant, il pourrait fort bien, furieux de la lettre que je m'apprêtais à lui écrire pour lui indiquer mes intentions, ne même pas profiter de ce mois de répit. Dans ce cas, j'aurais à payer le loyer. Mais tant pis ! Ma décision était irrévocable. Je devais écarter Paul purement et simplement de ma vie.

« Non, ce n'est pas tellement nécessaire », disait, en moi, la voix la moins raisonnable... Je devrais plutôt dire : la plus folle. « Tu pourrais rester ici, exactement comme avant, ainsi que l'a suggéré raisonnablement Paul, l'autre jour... »

Que pourrait-il arriver dans ce cas ?... Nous serions heureux quelque temps, puis il me quitterait sans plus d'histoires, à la recherche de quelque chose qui lui conviendrait mieux... Par exemple, une fille comme Flora qui l'aiderait à « monter » ?

Quelle tentation, pourtant, de m'abandonner au courant qui m'emportait vers lui ? Quel bonheur de me serrer dans ses bras même si c'était pour très peu de temps...

Mais c'était insensé. C'était le plus sûr chemin de la détresse. Les imaginations d'une tête sans cervelle... N'avais-je plus aucune volonté ?

Pour écarter de mon esprit des pensées aussi malsaines, je m'affairais tout à coup à retirer les rideaux que je trouvais sales. Ceux de la chambre et ceux du salon. J'allais les porter immédiatement chez les blanchisseurs de la laverie la plus proche.

Je pourrais les rapporter presque tout de suite et les repasserais ici avec le fer que Paul avait apporté un jour, pour refaire le pli de ses pantalons.

Aussitôt dit, aussitôt fait.

Tandis que j'attendais, assise sur une des banquettes de la boutique, les propos de Mlle Field, dans le train, me revinrent en mémoire. Qu'avait-elle essayé de me dire, de me faire entendre ? Nous réconcilier, Paul et moi ? Ne savait-elle donc pas que des choses aussi naturelles que celle qui aurait pu nous arriver, se produisent sans que quiconque s'en mêle... Ou bien... n'arrivent pas ? Elle était vraiment en dehors de la course, la pauvre fille !... Elle ignorait comment se comportent la plupart des jeunes de notre génération.

Si elle le savait, elle en serait probablement choquée jusqu'au plus profond de son être. Et moi, je ne regretterais que de n'être pas tout à fait au niveau des filles de mon âge. J'aurais aimé être davantage un pur produit de mon époque. J'aurais assurément moins de problèmes. Aimer... et ne pas penser à la suite...

J'étais dans un grand état d'émotion et de trouble tandis que je suivais, presque hypnotisée, le vrombissement de la machine où tournoyaient mes rideaux, et les vagues d'écume du détergent.

C'est pour me dégager de cette impression que je levai à ce moment les yeux. Je reçus alors un autre choc. Un homme me fixait, à travers le salon de blanchissage. Il n'avait rien de particulièrement frappant ou alarmant, mais, je ne sais pourquoi, sa présence même, la fixité de son regard, me causèrent une violente émotion.

Je restai figée sur place, comme enracinée à mon banc. Et je sentais la moiteur envahir mes lèvres serrées et mon front.

L'individu était petit, osseux, très brun, avec une peau récemment rasée, mais où l'ombre de la barbe reparaissait déjà. Il possédait des yeux spécialement écartés, un peu exorbités, qui continuaient à me fixer d'un regard dur.

Ma machine s'arrêta. Je tirai sur la poignée et ouvris la porte de verre circulaire. J'évitai de regarder dans la direction de l'homme mais je sentais encore son regard sur moi pendant que je traversais la pièce en direction des séchoirs.

A ce moment, je lui tournais le dos, mais quand je revins m'asseoir, je pus voir qu'il avait changé de place mais pas de regard. Cependant, dès que je le fixai à mon tour, il s'éloigna.

Je haussai les épaules. Ce n'était pas la première fois que j'attirais l'attention d'un homme. Il y a des suiveurs partout. Je devenais stupide, trop nerveuse.

Cependant, la pensée du bonhomme ne me quitta guère tandis que je faisais sécher mes rideaux. Je ferais mieux, pensai-je, d'avoir des préoccupations plus pratiques.

Il n'était pas impossible que les rideaux, déjà usés, ne résistent pas à l'espèce de fandango enragé qu'ils dansaient dans le séchoir. Dans ce cas, je n'aurais même pas le temps de les remettre avant l'arrivée de Paul...

Heureusement, rien d'aussi catastrophique ne se produisit. Je retirai du séchoir des rideaux d'une jolie couleur crème. Je ne me souvenais pas qu'ils étaient aussi ravissants...

J'étais en train de les suspendre quand j'entendis un bruit de clé dans la serrure. Ce ne pouvait être que Paul. Je me mis à tituber, en haut de l'escabeau assez peu stable.

— Bonjour ! bonjour ! cria-t-il.

Puis, rapidement, il traversa la pièce et vint tenir l'escabeau qui oscillait dangereusement.

— Ce machin ne me paraît guère sûr, dit-il. Que diable êtes-vous donc en train de faire ?

— J'ai lavé les rideaux.

— Quelle drôle d'idée ! Kate, descendez ! Immédiatement !

Il étendit les bras pour m'aider, mais j'ignorai son geste, lui tournai le dos et sautai comme un véritable laveur de carreaux.

— Pourquoi êtes-vous venu ? demandai-je d'un ton peu aimable, en repliant l'escabeau.

Il me le prit des mains et le posa contre le mur.

— Mais pour voir si je pouvais vous aider à empaqueter vos affaires. Et vous dire au revoir, naturellement.

— Oh ! Je vois... Merci.

Il me barrait encore le chemin. Je l'écartai pour revenir dans le salon.

— Puis-je vous aider ?

— NON. Inutile ! Tout est fini.

Je tripotai les serrures de la malle et m'assis dessus. Je voyais ses jambes tout près de moi.

— Eh bien ! je pourrais en profiter pour vous payer le loyer, dit-il enfin.

Il tira de sa poche son carnet de chèque et en établit un, correspondant au montant de la location.

— Merci.

Je gardai le papier au bout de mes doigts.

— Qu'est-ce qui se passe, Kate ?

— Rien.

Je me levai et nos regards se croisèrent. Je baissai rapidement les yeux. C'était maintenant ou jamais. Il fallait donc que ce soit maintenant. Tout de suite.

J'avalai ma salive, pris une profonde aspiration et commençai :

— Paul, je regrette beaucoup, surtout après tout ce que je vous ai dit, mais je vais reprendre l'appartement, quand ce mois sera écoulé. Je désire m'y réinstaller, seule.

Le silence qui s'établit alors me parut durer une éternité. Je le vis changer de place, ses jambes remuèrent et il s'assit tout près de moi et de la malle.

— C'est à cause de l'autre nuit, ou parce que j'ai dépassé les limites, vendredi dernier ? La seconde raison doit être en rapport avec la première, je suppose. J'ai montré quelle sorte de sale type je suis. C'est bien ça ?

Il avait choisi de se dénigrer lui-même. Le procédé était classique. Me croyait-il si naïve ? Je me contentait de répéter :

— Je désire reprendre mon appartement.

— Pour vous toute seule ?

— Oui, naturellement. Si cela me cause financièrement trop de soucis, mon père m'aidera. Il me l'a déjà proposé.

— Très bien ! Dans ce cas, j'occuperai l'appartement un mois et le libérerai ensuite.

Je ne savais que penser du ton qu'il avait employé. Il était neutre. Il ne lui ressemblait en rien.

La tension montait entre nous. Je pouvais la ressentir comme une corde qui s'étire jusqu'à la cassure inévitable. Je ne pouvais continuer à rester là assise. Je me levai et machinalement, j'atteignis des bibelots restés sur la cheminée.

CHAPITRE IX

Je mis la main sur un petit chien de porcelaine, avec étonnement. Pourquoi ne l'avais-je pas « embarqué » ? J'avais toujours pensé qu'il était mon porte-bonheur. Je le glissai dans la poche de mon manteau et remontai mon col, consciente tout à coup du froid qu'il faisait dans la pièce.

Pendant que je faisais ce geste, Paul passa derrière moi, posa ses mains sur mes épaules, et me tira en arrière de façon que mon corps repose sur le sien. Et l'envie de me trouver dans ses bras fut telle que je m'y abandonnai. Je le laissai me tourner vers lui et me tenir très serrée contre lui, si fort qu'il me semblait faire partie de son propre corps.

— Oh, Kate ! Kate ! dit-il.

Et encore une fois, rien n'exista plus, que lui... Non, rien n'a d'importance, pensai-je dans un brouillard. Puis, je ne pensai même plus. Je planais comme un oiseau. Je n'étais plus sur terre...

Tout, oui, tout aurait été différent, tout aurait été bien... si, tout à coup, dans ce silence ouaté, je n'avais perçu des craquements. Encore ! Des bruits derrière la porte du palier. Et le charme fut rompu. Le monde extérieur revint en force vers nous.

Paul se libéra d'une secousse, courut vers la porte, l'ouvrit à la volée et je l'entendis bientôt descendre à toute allure le dangereux escalier. Il s'écoula quelques minutes avant qu'il reparût. Je m'étais assise sur la chaise la plus proche. Je me sentais curieusement faible et un peu folle. Peut-être étais-je réellement en train de le devenir ?

Qu'est-ce qui lui était passé par la tête, au sujet de cette porte ? Elle avait toujours plus ou moins craqué, à moins qu'on ne l'ait fermée au verrou.

Je levai les yeux quand j'entendis son pas. Il était blême.

— Pardonnez-moi... J'ai entendu... j'ai cru.. Plutôt, j'ai senti... qu'il y avait quelqu'un derrière la porte.

Il ne s'était pas approché de moi. Brusquement, je me sentis comme une enfant perdue dans la nuit. Je crois que je n'avais jamais été aussi malheureuse.

— La porte, dis-je d'une voix plate, bouge toujours ainsi quand le verrou n'est pas poussé.

— Je ne crois pas...

— Que voulez-vous dire ?

— Il est possible que je n'ai pas poussé ce verrou. J'étais impatient de voir si je pouvais vous aider. Mais je continue à croire qu'elle ne se serait pas ouverte de cette façon, sauf si quelqu'un l'a poussée. Quelqu'un qui était sur le palier.

— Sur le palier ?

— Ou l'escalier. Quelqu'un qui montait.

— Quoi ? m'exclamai-je.

Et au moment où je laissai échapper cette exclamation, pas mal de choses me revinrent à l'esprit. Le soir où j'étais sortie avec Paul, j'avais bien eu l'impression qu'il y avait quelqu'un à l'écoute derrière la porte. J'avais cru entendre des bruits de respiration, des mouvements. J'avais été presque certaine d'une présence dans l'escalier.

De même, quand la porte s'était ouverte toute grande, au moment où Sylvia s'apprêtait à me quitter. Ouverte fortuitement, avais-je pensé à ce moment. Il se pouvait pourtant bien, ce jour-là, qu'il y ait eu quelqu'un derrière le battant en train de nous épier, de nous écouter.

— A quoi pensez-vous ? me demanda Paul, devant ma visible perturbation.

Je lui racontai tout, sans rien omettre. Il m'écouta attentivement, mais j'eus l'impression qu'il avait envie de sourire, de se moquer de mes frayeurs absurdes. Je me sentis brusquement stupide et ridicule.

Pourtant, il dit, un moment plus tard, de nouveau sérieux, grave même :

— Peut-être n'est-il pas mauvais que vous quittiez temporairement cet appartement, que vous alliez vous retremper dans l'atmosphère familiale, que vous preniez quelque repos.

— Cela signifie que je suis détraquée, je suppose ? Mais ne m'avez-vous pas dit que vous même... Et la façon dont vous avez couru tout à l'heure...

— Je me suis trompé tout bonnement, Kate. Cet immeuble est très vieux. Dans ces sortes de bâtiments, il y a toujours des grincements, des craquements... Surtout avec la boutique de Parkes, les allées et venues incessantes des clients, le transport des marchandises, etc. Partez tranquille et reposez-vous bien, Kate.

Ses façons caressantes et un peu protectrices m'agacèrent.

— Vous vous faites des illusions, mon cher. Je ne rentre pas chez moi pour me reposer, mais bien pour travailler.

— Et tenir la maison pour Goss ?

— Entre autres choses, oui.

Le camionneur nous interrompit. La descente de l'énorme malle ne fut pas aisée, mais la porte resta parfaitement fermée. Il est vrai que Paul l'avait claquée d'une poigne très ferme.

Lui et l'homme firent descendre le lourd fardeau le long des marches. J'allai faire mes adieux à Parkes, mon brave et dévoué voisin.

— Eh bien ! A dans quatre semaines, mademoiselle, me dit-il avec son accent rocailleux.

Je sortis de la boutique avec un sac de pommes, cadeau du brave homme, et deux gros céleris.

— Ils viennent de Boston. C'est de la bonne qualité.

— Au revoir, Kate, dit Paul rapidement.

Il semblait préoccupé. Je ne réussis pas à rencontrer son regard, et il était déjà rentré quand la camionnette démarra.

Ce voyage vers la maison fut pénible et démoralisant. Le brouillard rendait la conduite difficile. J'essayai de ne plus penser à Paul.

A cause de la mauvaise visibilité, il était presque quatre heures quand nous arrivâmes enfin aux Sorbiers. André était là, un bon feu brûlait dans la grille à charbon de notre cheminée.

Il était en train de faire griller des toasts à la mode ancienne, au bout d'une longue fourchette. Il se leva en me voyant arriver.

— Kate, enfin ! Je me faisais du souci. Il est tard et, avec ce temps...

Dans l'état dépressif où je me trouvais, ces mots me firent l'effet d'un baume calmant, apaisant. Je ressentis un immense sentiment de gratitude.

***

Deux semaines passèrent, et la mi-novembre arriva. Dehors, la nuit sentait l'air propre, et le linge durcissait sous les premières gelées. L'hiver s'annonçait, avec son cortège habituel.

A l'intérieur, dans la petite pièce où nous prenions nos repas, la radio avait été baissée jusqu'à ne faire plus qu'un vague fond sonore. André corrigeait des copies et moi, je raccommodais un pyjama de Tom.

C'était une scène d'intimité domestique. Nous avions eu une quinzaine familiale. J'avais changé la routine de mes journées. Mais, dans l'ensemble, tout se passait fort bien, et l'avouerais-je, cette existence me plaisait, d'une certaine façon...

Mon travail marchait bien aussi. Je m'y consacrais sérieusement toute la matinée et jusqu'à trois heures de l'après-midi. Ensuite je me livrais aux préparatifs de notre repas du soir, le plus important à six heures.

Cissie, la femme de ménage, arrivait chaque jour à midi et restait pour la nuit, ce chaperonnage étant certainement, tout au moins aux yeux de ma mère, la partie la plus importante de son travail...

Pourtant, l'idée d'avoir Cissie comme chaperon me faisait l'effet d'une véritable farce, mais ma mère tenait aux choses conventionnelles. Pourquoi ne pas lui donner ce plaisir ?

C'était, m'avait-elle expliqué avant son départ,

pour éviter les bavardages des voisins. Cela lui permettait, avais-je souvent pensé, de rester en Ecosse le plus longtemps possible.

En tout cas, Tom et André appréciaient la nourriture que je leur donnais. Je m'étais adaptée aux appétits masculins. Les steacks étaient épais, les puddings copieux, les « pâtés » et les fritures emplissaient les assiettes. Et mes desserts étaient appréciés.

— Vos talents de création s'étendent à la cuisine, m'avait fait remarquer André avec enthousiasme, après la première semaine.

— Kate a toujours été une excellente cuisinière, annonça Tom d'une voix claironnante. Elle a eu un prix à l'école, ajouta-t-il, la bouche pleine de fromage.

— Mais, c'est facile de faire la cuisine, leur dis-je. Avec Cissie pour m'aider.

Et celle-ci, qui entrait, apportant le dessert, rougit obligeamment pour me montrer que le compliment lui faisait plaisir.

Mais je pensais réellement, alors que « mes hommes » débarrassaient la table, qu'il était agréable de préparer de bons repas pour des gens qui les appréciaient très visiblement.

L'encouragement est important, dans n'importe quelles circonstances de l'existence. Je l'avais toujours pensé.

Mais, ce soir-là, je raccommodais et André était plongé dans la correction de copies. Tom était en train de lire un magasine de sports dans son lit.

Un morceau de charbon dégringola et André se leva pour arranger le feu, qui brillait agréablement dans la grille. Les pincettes à la main, il l'examina d'un œil critique et se remit à son travail.

Je m'étais amusée à le voir se courber, très souple dans sa veste de tweed rouille, ouverte sur un pull-over de couleur moutarde. Son pantalon tombait bien, serrant étroitement sa taille mince.

Il était fort bien, spécialement ce soir-là. J'eus envie de faire un croquis de lui. L'idée de ce que ce dessin pourrait donner sur le papier commença à se former dans mon esprit. Cela aurait fait une excellente couverture pour un bouquin romantique. On verrait une fille dans les lointains... Une fille blonde, évidemment...

— J'ai bien l'impression que maman va rester une semaine de plus en Ecosse, dis-je, en coupant mon fil avec les dents.

J'avais reçu une lettre d'elle le matin même. Granny avait besoin d'une aide permanente, m'expliquait-elle, avec tous les détails nécessaires et même quelques-uns, très superflus.

Elle ne pouvait la quitter pour le moment.

— J'espère qu'elle sera heureuse de revenir chez elle, répondit André d'un ton un peu distrait.

Je remarquai alors qu'il avait les traits tirés, et semblait contrarié.

— J'en suis sûre, répondis-je sans conviction.

J'étais bien certaine qu'il n'en serait rien. Je ne pouvais, de toute façon, que l'espérer, sinon je serais fort ennuyée. Je devais voir mon père la semaine suivante. Je n'avais aucune envie de lui dire que mère était absente. Il y aurait sûrement trouvé à redire.

Pour lui, la place d'une mère de famille était auprès de ses enfants. Il aurait peut-être cru aussi de son devoir de revenir aux Sorbiers jusqu'à son retour...

Bien sûr, j'avais envie de le voir revenir, mais

pas dans de telles conditions. Je les voulais tous les deux ensemble auprès de nous, leurs enfants, vivant comme des époux.

— J'ai beaucoup apprécié ces deux semaines, Kate.

André, qui venait de terminer son travail, m'avait dit ça en rangeant proprement la pile des cahiers.

— J'en ai été heureuse aussi. C'était un... changement.

— Cela vous ennuierait si je fumais une pipe maintenant ?

— Bien sûr que non !

Je le regardai préparer son tabac, remplir soigneusement sa pipe, la bourrer du pouce. Son expression était sérieuse, et même triste. J'en avais déjà eu l'impression un moment plus tôt.

— J'aimerais écrire un livre, un jour. Un bouquin pour les enfants, naturellement ! dit-il soudain.

— Avez-vous un penchant pour ce genre de travail ?

— Des ambitions, peut-être. Chacun a ses rêves... Vous pourriez l'illustrer pour moi... Nous travaillerions en équipe. Et peut-être serions-nous célèbres, un jour... Qui sait ?

Il avait un petit sourire oblique.

— Mais, éprouvez-vous réellement le besoin d'écrire ?

Je le regardai avec curiosité. C'était un homme à multiples facettes. Intéressant.

— Oui, réellement. Mais la compétition est féroce de nos jours dans ce domaine... comme dans tous les autres, je suppose.

Et maintenant, il y avait un soupçon d'amertume dans sa voix. Il n'avait certainement pas dévoilé toute sa pensée. Il tirait sur sa pipe en regardant le feu.

— Flora et moi avons rompu. Vous l'auriez su un jour ou l'autre...

Il avait parlé si rapidement que je crus pendant quelques secondes avoir mal entendu.

— Oh ! Non ! André !

— C'est très bien ainsi.

Il tira quelques bouffées rapides de sa pipe et fut un instant enveloppé d'un épais nuage de fumée.

— Je me demandais..., dis-je.

Je ne le regardais pas. Je fixais le feu.

— Je me demandais pourquoi vous n'alliez plus à Thaxted Wood. J'avais craint que... enfin, que ce soit par une sorte d'esprit de chevalerie vis-à-vis de moi.

— Pensant que je devais vous tenir compagnie, parce que vous étiez seule ici ?

— Pas tout à fait, mais...

— Pour le moment, je le fais. Je me sens un peu responsable de la maison en l'absence de votre mère.

— André, ce n'est pas à cause de ma présence ici, seule avec vous, que Flora a rompu vos fiançailles ?

— C'est moi qui les ai rompues.

Sa réponse assez brutale me donna un choc. Je ne m'étais pas attendue à ça.

— Je vois... Je n'avais pas...

— Je n'aime pas jouer les seconds violons. C'était lui où moi.

— Lui ?

Les mots s'étranglaient dans ma gorge. Je me piquai le doigt avec mon aiguille.

— Lui ? Vous voulez parler de...

— Nous savons très bien, tous les deux, de qui je veux parler. Vous m'aviez engagé à me battre, souvenez-vous, mais le diable m'emporte si je m'abaisse à une chose pareille ! Si elle a envie de ce type, qu'elle le prenne, si cela lui convient ainsi.

— Quelquefois, c'est le meilleur parti à prendre. Rompre avant qu'il ne soit trop tard.

Je m'étais, en quelque sorte, obligée à prononcer cette réponse classique et conventionnelle, mais mes pensées étaient tumultueuses. Ils n'avaient pas perdu de temps... Il n'y avait que deux semaines qu'ils s'étaient vus pour la première fois...

Flora et Paul ! Je n'y avais pensé que superficiellement. Et pourtant, il était évident que cela devait arriver. Tout concordait : les goûts, les familles. Flora aiderait Paul dans son ascension...

— Kate...

André allait continuer, mais je ne pouvais en supporter davantage. Heureusement, au même instant, j'entendis Prud gratter à la porte. Heureuse d'une excuse, j'allai lui ouvrir.

— C'est le moment de sa dernière promenade, murmurai-je, en quittant la pièce.

— Très bien ! Je viens avec vous.

Il m'aida à enfiler mon duffle-coat, et endossa lui-même son anorak.

— Non ! Ce n'est pas la peine. Je... j'aime bien y aller seule.

S'il me trouvait impolie, tant pis, je n'y pouvais rien. J'avais envie d'être dehors, sans personne autour de moi. De respirer un air froid. Glacé même.

— Vous ne devriez pas être seule, dehors, la nuit.

— Je le fais tous les soirs. Il est à peine un peu

plus de dix heures et nous ne pouvons laisser Tom. Pas tous les deux ensemble.

Il approuva enfin ce que je venais de dire d'un signe de tête, et me laissa passer, raccrochant son anorak.

« Tu es folle ! » me dis-je alors, quand je me trouvai dans la nuit, marchant sous les sorbiers. Pourquoi ce trouble ? J'avais rompu moi aussi avec Paul. Il n'y avait plus rien entre nous. Il était absolument, parfaitement libre de faire ce qui lui plaisait.

Il était allé vers Flora parce qu'elle était mignonne... et riche. De plus, elle lui avait fait des avances sous mes yeux. Elle était, en fait, une très bonne affaire, dans tous les sens du terme.

Mais elle était aussi la fiancée d'André. C'était un mauvais coup de la lui souffler sous le nez.

Je marchais, sans penser à ce que je faisais, lançant automatiquement mes jambes l'une après l'autre, à la façon d'un robot. Pourtant, je me rendis compte, après coup, que j'avais vu la voiture.

J'avais entendu le ronflement furieux du moteur qu'on emballait, droit sur le talus. Je prenais toujours le même chemin. Notre allée jusqu'à la route, puis je traversais pour longer le talus en direction des bois. Je revenais ensuite par le même chemin. C'était devenu tellement machinal que je n'avais pas besoin de réfléchir. Je pouvais rêver...

Mais, en un point quelconque du trajet, une voiture avait démarré, à toute petite allure, et m'avait suivie, sans que je m'en sois rendu compte.

J'étais bien trop plongée dans d'amères réflexions pour y prêter attention. Prud traînait derrière moi.

— Allons, Prud, presse-toi un peu ! Allons !

Je lui fis sauter le talus et commençai à traverser la route. Brutalement, je fus encadrée par une lueur fulgurante... Un énorme rugissement de moteur emballé me cloua une seconde sur place, à peu près statufiée. Un coup d'œil... un spasme. Un rugissement plus formidable encore... La voiture fonçait sur moi.

Je hurlai... sautai... franchis le talus, comme on vole et me retrouvai à plat ventre de l'autre côté, le souffle court, la bouche pleine d'herbe.

Quand je repris un peu mon sang-froid et ma respiration, je pensai, furieuse : un conducteur ivre ! Un fou ! A moins qu'il l'ait fait exprès ; qu'il ait voulu me tuer ? Mais pourquoi, au nom du ciel, pourquoi ? J'avais senti le déplacement d'air. Il s'en était fallu d'un rien...

Prud avait gémi. Je l'avais entendue. Maintenant, elle avait disparu. Autour de moi, il n'y avait que silence, nuit et frayeur. Et le bruit saccadé de ma respiration, alors que je parcourais les fourrés à la recherche de ma chienne.

Je n'arrivais pas à la trouver. Peut-être était-elle blessée, écrasée. Sa laisse avait disparu. Sans doute, arrachée de ma main au moment où j'avais plongé derrière le talus.

Je sifflai sans résultat, puis criai son nom à tous les échos. Toujours, rien. Je savais que je devais rentrer à la maison, chercher de l'aide. Ici, il n'y avait que nuit et silence. Je demanderais à André de m'aider.

Encore très secouée, je titubais en enfilant notre allée. A la porte, dès que j'eus tourné la clé dans la serrure, j'appelai :

— André, André... Vous êtes là ? André, s'il vous plaît, venez vite !

Il descendit à l'instant même, me soutint sous les aisselles, fermement.

— Kate, Kate. Mon petit... Qu'est-ce qui vous arrive ?

— Tout... tout va bien... maintenant, André. Mais j'ai failli être renversée par une voiture. Je suis inquiète pour Prud qui a disparu. J'ai peur qu'elle ait été blessée, peut-être écrasée...

« Elle a pu se sauver dans les bois. J'ai appelé tant et plus. Elle ne répond pas. Oh ! André, il faut absolument que nous y retournions. Tout de suite !

— Ma pauvre petite, avez-vous vu vos jambes ?

Suivant son regard, je baissai les yeux. Mes deux jambes saignaient.

— Ça n'a pas d'importance. Je n'ai pas mal. S'il vous plaît, André, il faut aller à la recherche de Prud.

Je m'accrochai aux revers de sa veste de tweed. Il me prit les mains et à ma grande fureur, ferma la porte derrière nous.

— Mais, hurlai-je, nous devons y aller...

— Vous êtes en état de choc. Je vais commencer par vous faire avaler un peu de whisky.

— Non. Je n'en veux pas ! criai-je. Nous...

Et je m'interrompis brusquement en voyant une petite silhouette dégringoler l'escalier. Nous avions tout à fait oublié Tom, qui couchait toujours la porte de sa chambre grande ouverte.

— Qu'est-il arrivé, Kate ?... Qu'est-il arrivé... arrivé à Prud ? Où est-elle ? Qu'as-tu donc fait de Prud ? Je veux le savoir. Tout de suite. Tu m'entends ?

Je me calmai dans un grand effort de volonté. Mon tremblement nerveux me quitta soudain.

— Tom, elle s'est échappée. Sa laisse a glissé de mes mains. Elle s'est sauvée. Mais elle ne peut être loin. J'étais juste sur la route au coin de notre allée. Je vais la chercher tout de suite.

— Oh ! Tu l'as... laissée s'échapper ? dit-il d'un ton accusateur.

— Elle s'est échappée, rectifiai-je.

— Tu es rentrée sans elle ! Tu l'as laissée dehors, toute seule. Dans l'obscurité. Mais, tu es stupide, idiote !

Il ne se possédait plus. Le visage convulsé de rage, il s'élança sur moi, me criblant de coups de poings. Un de ses genoux heurta ma jambe blessée. Je ne pus retenir un cri.

Je vis alors André, le visage crispé, se jeter sur lui et lui donner une gifle à toute volée.

Le bruit du coup me fit grimacer de douleur tout autant que le coup de pied de Tom. Mais l'effet fut immédiat, je dois le dire. Tom se tut à l'instant même. Il me regarda avec étonnement, stupéfait de ce qui venait de se passer, les yeux noyés de larmes.

— Je vais aller chercher mon chien, déclara-t-il d'une voix calme. Mais, avant je vais mettre mon manteau.

Et c'est ce qu'il fit. Puis il chaussa ses bottes, comme un homme.

— Nous y allons tous, dis-je d'une voix qui tremblait, en humectant mes lèvres desséchées.

C'est à cet instant précis que nous entendîmes le bruit d'un moteur.

— Qui diable peut se présenter ici à cette heure-ci ? grommela André en ouvrant la porte.

La lumière des phares m'éblouit une seconde, mais au moment où le conducteur les éteignait, je le reconnus : Paul.

Il n'était pas seul. Près de lui, trottinant, une

petite boule blanche, pressée d'arriver jusqu'au vestibule.

— C'est Prud... C'est Prud... ! ne cessait de répéter Tom.

Il se précipita et l'attrapa dans ses bras.

La bête se débattit pour se libérer. J'étais aussi surprise que Tom.

— Mais... qu'est-ce qui se passe donc ici ? demanda Paul apparemment étonné, lui aussi.

C'est André qui tint la vedette en disant d'un ton impératif :

— Pose-là tout de suite, Tom. Oui, par terre. Juste où elle est.

L'enfant obéit immédiatement. André retira son sweater, le posa à terre, en enveloppa la chienne et, aidé de Tom qui ne voulait pas la quitter une seconde, la transporta à travers le hall dans la cuisine où il l'installa devant le feu. Je suivais, l'œil exorbité, sans rien y comprendre.

— Qu'est-il arrivé ? me demanda Paul, qui me suivait aussi. A-t-elle été renversée ? Pourtant, quand je l'ai trouvée dans l'allée, elle n'avait pas l'air blessée. Mais vous, que vous est-il arrivé ? Vous êtes blême !

— Une voiture a failli m'écraser. J'ai eu la chance de pouvoir lui échapper en sautant par-dessus le talus. Mais j'avais peur que Prud ait été écrasée. J'allais à sa recherche quand vous êtes arrivé.

Je me tournai vers André et m'agenouillai à côté de lui.

— Est-elle gravement atteinte ?

Prud se conduisait d'une façon singulière. Alternativement, assise, puis debout, elle essayait de s'accroupir, puis se roulait sur elle-même.

— Je ne crois pas qu'elle soit le moins du monde blessée. Elle est en train de mettre bas.

— Ce n'est pas possible ! Elle n'attendait pas de petits...

— Et moi, je suis certain que c'est ce qu'elle est en train d'essayer. Téléphonez au vétérinaire et demandez-lui de venir tout de suite.

— Mais, c'est impossible, je vous le répète !

Il haussa les épaules devant mon entêtement.

— Ce n'est pas possible ! continuai-je à grommeler en allant jusqu'au téléphone.

— Dépêchez-vous, ajouta André.

Je composai le numéro de Willows avec des doigts tremblants. Si maladroitement, que je crus m'être trompée quand j'entendis une voix de femme au bout du fil. Une voix très jeune, qui me rappelait quelque chose. Mais je ne m'étais pourtant pas trompée. La voix appela Edward et répondit qu'il arrivait. Il vint lui-même à l'appareil une seconde pour me recommander de ne pas m'inquiéter.

Et, tout ce temps-là, Paul était près de moi, tout près, mais silencieux, soucieux même. On aurait dit que c'était lui qui souffrait d'un choc, et non moi...

Quant à André, il devait se tromper. Il avait beau affirmer qu'il savait ce qu'il disait, qu'il avait vécu dans une ferme... Ce n'était tout simplement pas possible. Prud avait été accouplée une seule fois, des années plus tôt, avec un chien de sa race. Un de ses fils vivait du reste encore dans le proche voisinage. Elle le regardait à peine, avec un dédain marqué.

Pourtant... Mère l'avait peut-être laissée quelques

instants sans surveillance ? Elle avait été en chaleur huit ou neuf semaines plus tôt... La coquine !

Elle était bel et bien en travail. André et Tom l'assistaient. J'étais sidérée par le sang-froid de Tom. Comment croire qu'il avait frisé l'hystérie un moment plus tôt... Il ne pensait plus qu'à sa chère Prud.

J'étais en train de regarder mon jeune frère lorsque quelque chose de gélatineux s'échappa du ventre de Prud. Entendant arriver la voiture de Willows j'accompagnai Paul dans le hall pendant que Tom se tenait auprès de sa chienne. Le vétérinaire commença par nous expédier tous hors de la cuisine, ne gardant que Tom avec lui.

Dans la petite salle à manger, près d'un feu très bas, Paul, André et moi absorbâmes un whisky qu'André venait de servir.

— Chérie !... Vos jambes !...

C'était Paul cette fois qui venait de pousser cette exclamation horrifiée.

— Elles ne sont qu'égratignées, dis-je. Je mettrai un pansement tout à l'heure.

— Vous disiez que cette voiture ?...

— Elle semblait venir droit sur moi, mais je peux m'être trompée... Je veux dire, le conducteur a très bien pu ne pas me voir. Sans doute un ivrogne. A moins que ce soit un idiot qui a cru faire une plaisanterie.

Je fus interrompue par une série de plaintes. Une minute plus tard Tom entrait dans le petit salon en criant fou de joie :

— Prud a une petite chienne. Juste une !

Et il vint se jeter dans mes bras, en me serrant très fort.

Edward Williams le suivait. Prud allait très bien. Le chiot était parfait. Petit, mais de pure race.

— Exactement comme sa mère, ajouta-t-il.

— Je me demande comment nous avons fait pour ne pas nous en apercevoir...

J'allais regarder le bébé-chien déjà en train de têter sa mère. J'admirai également Prud, très fière d'elle et dont le petit museau fûté semblait me dire : « Vois comme je suis maligne... Mais j'ai pourtant essayé de vous avertir il y a pas mal de temps... »

Edward me rejoignit et dit, en rangeant ses instruments :

— Le chiot est tout petit. Elle n'en avait qu'un. Il n'est pas étonnant que ce soit passé inaperçu.

— Je parie que le père est Todd, dit Tom qui était venu nous rejoindre. Il essayait toujours de passer à travers la haie.

— Eh bien ! dans ce cas, c'est parfait, dit André. Ce sera un chien de race.

Paul ne dit rien.

J'emmenai Tom au lit. Je redescendis et retournai dans sa chambre pour vérifier qu'il était bien couché. Il était si excité ! Nous ne nous embrassâmes pas.

Il y avait longtemps que Tom avait banni « toutes ces bêtises de filles... » Il était mort de fatigue, pourtant, il trouva le moyen de dire, comme je remontais sa couverture :

— Merci, Kate ; N'est-ce pas formidable ? Merci de tout mon cœur.

C'était sa façon de s'excuser pour m'avoir frappée et traitée d'idiote.

Quand je redescendis, Willows et Paul étaient partis. Il ne restait qu'André, assis près du feu.

— Ils sont partis ? demandais-je inutilement.

— Oui. Tous les deux.

— Quelle nuit !

— Çà, vous pouvez le dire, soupira-t-il en regardant le bas de son pantalon taché.

— Je ne pourrais jamais assez vous remercier, André. Si vous n'aviez pas été là...

— Prud se serait parfaitement débrouillée toute seule, je vous l'assure.

— Oui, peut-être, mais...

— Même sans l'aide de Willows, tout aurait bien marché. La plupart des chiennes, de cette race surtout, n'ont besoin de personne.

Il semblait déterminé à n'accepter aucune louange. Aussi bien pour Willows que pour lui.

— Etes-vous sûre que, vous, vous allez bien ?

Il venait de regarder mes jambes. Je les avais lavées pendant que j'étais au premier étage et j'avais collé un pansement sur les égratignures.

— Oui, dis-je.

— Les gens sont fous. Il y en a bien la moitié à qui on devrait retirer le permis de conduire...

— Certes..., dis-je.

Mais une faiblesse stupide me faisait craindre de me trouver mal. Je dus m'asseoir. Heureusement, André était lui-même fort las. Il ne remarqua rien. J'en fus très soulagée.

Quelques minutes plus tard, nous entendîmes Cissie arriver. J'étais ravie de pouvoir enfin aller me coucher.

Mais, je restai longtemps, très longtemps sans pouvoir m'endormir... Tous les événements de la journée me revenaient, en foule, en désordre, tournaient dans ma tête en une ronde folle.

Je les revivais comme un flash-back de cinéma. La voiture se jetant sur moi à toute vitesse, la perte de Prud, la détresse de Tom... Tout se bousculait dans ma pauvre tête.

CHAPITRE X

Je m'endormis enfin, mais pour me réveiller en sursaut au milieu de la nuit. L'aube naissait quand deux faits très nets surgirent de la cohue de mes souvenirs. Cette voix... Cette voix jeune qui avait répondu à mon appel téléphonique. C'était la voix de Flora !

Que faisait-elle chez Edward Willows à cette heure de la nuit ? Etait-ce possible que ce soit pour lui qu'elle ait lâché André ? Et, s'il en était ainsi, pourquoi celui-ci m'avait-il laissé croire qu'il s'était agi de Paul ? Il devait bien le savoir, lui qui était son successeur...

Bien sûr, il le savait... Je me souvenais brusquement de ses manières froides et guindées avec Willows.

Mais la seconde des choses que j'avais en tête me semblait encore plus curieuse. Que faisait Paul, si tard, sur la route des « Sorbiers » ? Particulièrement après que nous ayons décidé de ne plus nous revoir...

— Je pense... qu'il faut que j'aille à l'école ? soupira Tom, le lendemain matin.

— Tu penses très correctement, mon vieux, répliquai-je en cachant ma faiblesse à la vue de son visage implorant, encore marqué de la gifle d'André, la veille.

Je me demandais si celui-ci s'était rendu compte de la violence de son geste. Il avait quitté la maison très tôt, ce matin. Je me demandais pourquoi. Ou plutôt, je me dis que cela ne me regardait pas. Je m'étais interrogée à haute voix.

— Il sait que M. Willows va venir. C'est pourquoi il est parti de si bonne heure, m'expliqua Tom en se beurrant largement un toast.

— Je croyais que c'était toi qui n'aimais pas Edward.

— Oh ! Je m'en moque... Maintenant !

— Pourquoi ce changement ?

— Il a cessé de me demander à chaque instant de venir chez eux.

— Et tu l'aimes mieux, à cause de çà ?

— Evidemment ! Et Ben s'est trouvé un autre ami, ce qui est encore mieux, et monsieur Willows ne tournera plus autour de maman.

— Quoi ?

— Eh bien, oui ! Il le faisait depuis longtemps. Mais maintenant, c'est fini !

Oui, pensai-je. Il avait en effet cessé de venir mais cela aurait pu être justement parce que ma mère n'était plus là. Cette idée n'était pas venue à Tom. Ce qui démontre, pensai-je, combien un cerveau d'enfant peut être illogique.

— Allez ! File à l'école maintenant !

Je l'éloignai avec peine de sa Prud chérie, qui avait quitté son petit pour venir croquer des miettes de toast.

— J'ai eu une idée superbe cette nuit, me dit-il en enfilant son manteau.

Mais je n'eus pas le temps de lui demander des détails sur cette idée mirifique. Je venais d'entendre un bruit de moteur dans notre allée.

J'attendais Willows. C'est Paul qui parut.

— C'est Paul ! cria mon jeune frère, s'éloignant en courant.

— Monsieur Channing, pour toi ! Mal élevé !

— J'avais l'habitude d'appeler David par son prénom.

— Va-t-en maintenant, ou je me fâche.

Il fila et je fis entrer Paul.

La première chose qui me frappa, tandis qu'il s'asseyait, fut sa mine affreuse. Il avait l'air hagard, malade, même.

— Y a-t-il quelque chose qui ne va pas ? demandai-je.

— Oui. Et je dois vous en parler. Mais comment allez-vous, Kate ?

Il tourna les yeux vers le hall où travaillait Cissie et j'allai fermer la porte.

— Je vais bien, Paul, mais qu'y a-t-il ?

Je le regardai sortir deux photos de sa poche.

— Avez-vous déjà vu cet homme ?

— Comment ?

— Regardez bien les photos. Connaissez-vous ce type ?

Je pris les photos et les regardai. Elles représentaient le même homme, et je le reconnaissais. C'était celui qui m'avait fixée si longtemps à la blanchisserie. Brun, carré, trapu, avec une barbe.

— Oui, je l'ai déjà vu.

— Combien de fois ? Et où ?

— Une seule fois... consciemment. A la blanchisserie.

— Que voulez-vous dire par « consciemment », Kate ?

Il posait des questions comme un policier qui attendait qu'on y répondît sur-le-champ.

— Cela va vous sembler stupide, Paul, mais j'ai parfois eu un sentiment de malaise ces derniers temps. Comme si un regard était pointé sur moi.

— Cet homme nous suit tous les deux. Et moi, particulièrement, depuis que je suis revenu de l'étranger.

— Mais pourquoi, Paul ? Qui est-ce ?

— Son nom est Steve Astor.

— Je ne connais personne de ce nom.

— Ecoutez-moi, Kate. C'est une longue histoire. Permettez-moi de vous la raconter à ma manière. J'y ai pensé toute la nuit.

Je ne répondis que par un signe de tête. Je ne pouvais parler. Je n'avais jamais vu Paul dans cet état. Tendu, anxieux, cherchant mon regard, puis détournant le sien. Qu'est-ce que cela pouvait bien vouloir dire ?

— Il faut que je remonte à l'époque où David vivait encore.

— Allez-y.

Mon cœur battait très fort, mais lentement. Comme si chaque battement était un coup de poing.

— Il y a deux ans, commença Paul, David s'est fait voler sa voiture. C'était un modèle de sport rouge. Il l'avait laissée intentionnellement sur le parking de l'immeuble parce que le garage devait la faire prendre à cet endroit pour une révision. Elle n'est jamais arrivée jusqu'au garage. Elle avait été volée entre-temps. Volé par un voyou qui s'était baladé avec elle en ville, avait renversé une femme et s'était enfui au volant. Il avait ensuite abandonné la voiture. La femme était morte, dans les bras de son mari. Des témoins avaient pu relever le numéro. La jeune femme se nommait Suzy Astor.

— Je connaissais l'histoire de l'accident et de la fuite. David me l'avait racontée.

— Le mari, Steve Astor, put décrire la voiture dont les témoins, avaient relevé le numéro sans que personne n'ait vu le chauffard. Cela n'a rien d'étonnant, avec une capote surbaissée. Tout cela m'a été raconté par Mère et David. J'étais au Kenya, à ce moment-là. Il y eut des quantités de choses déplaisantes, pénibles, pour le pauvre David. Il dut rencontrer le mari, fou de douleur, répondre aux multiples questions de la police. Heureusement pour lui, il avait déjeuné ce jour-là au restaurant avec quelques collaborateurs de la société et son patron. Celui-ci fit une déposition qui ne pouvait laisser aucun doute. Tout au moins aux policiers. Ils furent très rapidement certains de son innocence.

— Evidemment !

— Seul, Astor ne voulut pas y croire. Il pensait même que David avait acheté son alibi. Il le poursuivit de ses menaces pendant quelques mois, puis il repartit pour son pays, l'Australie, au grand soulagement de mon frère. Il était australien mais sa jeune femme était anglaise. Ses parents avaient un restaurant à Hampstead.

— Mais, s'il est retourné en Australie ?

— Il en est revenu il y a quelques semaines.

— Comment... Comment savez-vous tout cela ? Et pourquoi *nous* suivrait-il ?

— Voyons, Kate. Est-ce que notre ressemblance ne vous a pas causé un choc le premier jour ?

— Vous voulez dire qu'il...

— Evidemment, il me prend pour mon frère ! Comment aurait-il appris sa mort ? Cela n'a pas fait la une des journaux. Les accidents de la route sont si communs, hélas !... Je suis convaincu qu'il me prend pour David. Et qu'il veut se venger. Cela peut paraître mélodramatique, j'en conviens, mais je suis sûr de ne pas me tromper. Il nous veut du mal. A moi, sûrement. A vous, parce qu'il nous a vus ensemble. Il doit penser que... que vous êtes ma fiancée... Et je suis sûr que c'est lui qui a cherché à vous tuer, hier soir, avec sa voiture. Je l'avais aperçu dans Mellerton.

— Qu'y faisiez-vous ?

— J'étais venu voir tante Ellen. Mais laissez-moi continuer. Je n'ai pas fini. Moi aussi, j'avais l'impression d'être suivi. Mais je n'avais jamais été capable de distinguer qui était le suiveur. Enfin, dernièrement, j'y suis parvenu. Je l'avais rencontré un peu partout. Dans la rue, au restaurant, au bureau, dans les couloirs. Même dans la boutique de Parkes. Mais, il a toujours réussi à me filer entre les doigts. Gros comme il est, il est aussi glissant qu'une anguille ! Je n'ai d'ailleurs eu de certitude sur son identité que parce que ma mère l'a vu rôder autour de votre appartement le jour où elle est venue vous voir. Elle l'avait déjà remarqué autour du nôtre, elle a fait le rapprochement. David lui avait décrit le type. Et Mère a oublié d'être sotte. Du reste, elle ne risquait pas d'oublier cette triste péripétie. Mais, même alors, je ne m'étais pas trop inquiété. Il suffisait que je le joigne, que je lui explique... Mais ce n'était pas si simple. Je ne savais pas où il habitait. Le restaurant des beaux-parents était fermé.

« Evidemment, j'aurais pu me renseigner auprès de la police. Mais j'ai préféré mettre sur l'affaire un de mes amis, qui est détective privé.

— Paul, pourquoi pas plutôt la police ?

— Parce que, tout bien réfléchi, ce n'est pas une affaire pour la police. Astor n'a rien fait de mal... jusqu'à présent. Il ne m'a même pas accosté. Que dirais-je à la police ?

— Qu'avez-vous dit à ce détective ?

— Je lui ai parlé comme à un ami, ce qui est fort différent. C'est un ancien journaliste. Mais il trouvait que le métier ne rapportait pas suffisamment pour le faire vivre décemment. Il a monté sa propre affaire. Ce qui est parfaitement légal. Du reste, il travaille souvent en accord avec la police.

— Très bien. Excusez-moi.

— C'est Keith qui a pris ces photos de Steve Astor. J'avais pu lui désigner. Il a appris également qu'il était de retour à Londres depuis septembre. Il y vit avec ses beaux-parents. Keith s'est rendu chez eux. Astor travaille dans le magasin de légumes qu'ils ont repris à la suite du restaurant. Moi-même j'ai été les voir, après l'histoire du fil de fer.

Je le fixai, ahurie. Qu'allais-je encore apprendre, Seigneur ?

— Oui. J'ai trouvé un fil de fer tendu à travers l'escalier. Votre escalier, Kate.

Il vint s'asseoir près de moi et me prit la main.

— Mais... quand est-ce arrivé ? demandai-je anxieusement.

Je m'étais accrochée à sa main comme à une bouée de sauvetage. J'en sentais rudement le besoin...

— C'est arrivé un samedi, le jour qui a suivi la visite que ma mère vous a faite. Le soir, vers six heures, j'étais en train de collecter les pièces du radiateur à gaz. J'avais les mains pleines de pennies et je voulais demander à Parkes s'il pouvait les garder dans son coffre en attendant le ramassage.

« J'étais arrivé sur le palier, les mains pleines de pièces, lorsque j'eus un geste maladroit. Voilà tous mes pennies en train de rouler dans l'escalier... J'étais furieux, là, dans le noir... Vous savez que l'ampoule électrique est au rez-de-chaussée et qu'elle éclaire très mal votre étage. J'allai chercher une torche électrique et me voilà en train de ramasser toute cette petite monnaie. Je n'ai pas tout retrouvé, mais, au moins, j'ai découvert le fil de fer... Je vous assure que cela m'a donné un choc !

— Qu'avez-vous fait ?

— Je suis descendu et j'en ai parlé à Parkes. Il est venu jeter un coup d'œil et a conclu que c'était une mauvaise plaisanterie d'un imbécile. Je ne l'ai pas détrompé, mais j'ai immédiatement pensé qu'Astor entrait en action...

— Avez-vous averti la police ?

— Non. J'avoue que, cette fois, j'aurais dû le faire. Je l'aurais certainement fait si vous aviez encore vécu dans l'appartement, mais vous veniez juste de me dire... Quand j'ai su que je serais seul à l'occuper pendant un mois, j'ai été grandement soulagé. C'était un souci de moins...

— Et c'est pourquoi, lorsque la porte s'est

ouverte, vous avez couru comme un dératé dans l'escalier ?

— Oui, j'étais nerveux en diable ! La veille j'étais allé voir les Trafford, avec Keith et ils m'avaient appris qu'Astor les avait quittés sans laisser d'adresse. Je leur ai expliqué l'erreur de cet Astor, je leur ai appris la mort de David. Et ils m'ont avoué qu'ils étaient inquiets de l'état mental d'Astor qui ne s'était jamais remis de la mort de sa femme.

« Ils avaient, du reste, commencé, eux aussi, à me prendre pour David. Heureusement Keith a confirmé mon histoire. Je les ai laissés inquiets. Je leur ai demandé de me prévenir dès qu'ils auraient des nouvelles d'Astor. Je voulais m'expliquer avec lui.

— Et maintenant, cela fait deux semaines, si j'ai bien compté, et il est toujours à Londres, dis-je.

— Pour autant que nous le sachions, oui !

— Alors, Paul, ce ne peut pas être lui... dans la voiture...

De nouveau, au souvenir, j'éprouvais une angoisse rétrospective. Ce vrombrissement derrière moi, ce saut insensé, cette peur panique... Je me mis à trembler. Cela eut un effet terrible sur Paul.

— Non ! ma chérie... Non ! Il ne faut pas. Jamais, je ne laisserai toucher à un seul de vos cheveux... Je vous jure sur ma vie.

Ses bras me serraient avec une force terrible, mais je m'y sentais bien, apaisée. La tendresse montait en nous, aussi fort que le désir l'autre jour... Paul me relâcha un instant puis m'enlaça de nouveau.

— Si. C'était sûrement lui. Je l'avais rencontré le soir même, dans une rue de Mellerton. Mais, avec la foule de véhicules, je n'ai jamais pu le rejoindre. Je l'ai très rapidement perdu de vue.

— Paul, que faisiez-vous dans Mellerton ?

— J'allais voir ma tante Ellen. J'avais le soupçon que cet Astor pouvait être dans les environs. Je n'étais sûr de rien, évidemment, mais j'éprouvais un malaise. Vous vous souvenez de la soirée d'anniversaire de Flora ? Je pensais l'avoir vu dans le couloir. Je me suis demandé depuis s'il ne m'avait pas suivi chez Tante Ellen et de là, chez vous...

— C'est plus que probable, dis-je pensivement.

Je venais de me souvenir de cette ombre que j'avais aperçue à travers les arbres, au moment où Paul venait me chercher... quand j'attendais dans le salon. Je demandai :

— C'est pour ça que vous êtes parti à pied de chez Flora ?

— C'est la raison principale. Je voulais jeter un coup d'œil aux alentours.

— Le puzzle se complète, dis-je en soupirant.

— J'en ai bien peur. C'est pourquoi, tôt, ce matin, je me suis rendu à la police.

— Je pense que c'était sage de votre part. C'était ce qu'il avait de mieux à faire.

— C'est que, maintenant, vous êtes dans le circuit. J'en suis affreusement désolé ! Tout cela, c'est à cause de moi... Vous ne pouvez comprendre ce que je ressens...

— Qu'a-t-on dit à la police ?

Je voulais garder un ton impersonnel. Sinon,

j'aurais trop révélé ce qui se passait en moi. Ce n'était pas le moment...

— Que pouvaient-ils dire ? Ils ont promis de venir vous interroger au sujet de cette voiture. Ils ne savent même pas où habite Astor. Et il n'a encore rien fait, de leur point de vue, puisque nous ne pouvons rien prouver. Keith les a, de son côté, mis au courant. Ils ont promis de faire le maximum. Vous allez sans doute les voir arriver aux Sorbiers sans tarder. Ils vous conseilleront d'être vigilante.

— Mais, vous ? L'appartement ?

Il se mit à rire.

— Je ne pense pas qu'ils délèguent un garde du corps pour veiller à ma sauvegarde. Mais j'en suis capable ! Ne vous inquiétez surtout pas pour moi.

Il avait ri d'un grand rire franc, comme le premier soir, en rejetant la tête en arrière. Et la peur entra de nouveau en moi. La peur... pour lui ! J'aurais voulu me trouver avec lui dans l'appartement, qu'il n'y retourne pas tout seul...

— Devez-vous réellement y revenir ? demandai-je.

— Mais, évidemment, Kate ! Je travaille là-bas, ne l'oubliez pas, chérie.

Il glissa son index sous mon menton et embrassa légèrement mes lèvres.

— Ne vous faites pas de souci au sujet de cet Astor. Il sera certainement très vite repéré maintenant. Je suis sûr qu'avant la fin de la semaine, tout cela sera terminé. Ma seule préoccupation est que vous soyez impliquée dans ce traquenard. C'est à cause de moi que vous arrivent toutes ces choses déplaisantes...

— Mais, vous n'êtes en rien fautif !

J'avais répliqué très vivement, mais au moment où je prononçais cette phrase, je me disais que le qualificatif de « déplaisant » n'était pas à la hauteur de tout ce qui était arrivé...

La voiture roulant vers moi, comme en un cauchemar, le fil de fer dans l'escalier, où Paul aurait pu se tuer, s'il n'avait découvert le piège à temps, par miracle...

Je savais qu'il voulait minimiser, sciemment, toutes ces choses, pour que je ne sois pas tentée de venir courir des risques, auprès de lui.

— Restez ici au calme, Kate, dit-il en se levant. Et surtout, ne vous faites pas de souci. Tout va très bien s'arranger.

J'avais très envie de lui demander quand je le reverrais. J'avais envie de l'embrasser pour lui dire au revoir, j'avais envie de savoir, oui, même maintenant, s'il aimait Flora...

Mais il s'éloigna rapidement, enfila son manteau en hâte — un manteau magnifique en peau très souple — comme s'il fuyait...

C'est alors que Prud apparut dans le hall. A ma grande surprise, elle se précipita vers lui, s'accrochant aux jambes de son pantalon, puis revint vers son petit, avec une mimique expressive. Elle voulait manifestement lui en faire les honneurs.

— Comment va le nouveau né ? demanda alors Paul.

Il entra dans la cuisine, se courba pour examiner de près le chiot qui dormait et que Tom avait décidé d'appeler Nelle.

— C'est une jolie petite bête, dit-il. Avez-vous décidé si vous la garderiez ?

— Oui. Nous en avons envie. Elle remplacera doucement, sans douleur, Prud quand celle-ci ne sera plus. Elle est déjà vieille. En somme, elle a préparé sa succession...

— Très malin de sa part ! dit-il en riant. Bravo ! Il semble que Willows soit un type bien. Il est venu aussitôt que vous l'avez appelé.

— C'est en effet un excellent vétérinaire.

— Vous savez, je suppose que la fille de Phelps a lâché Goss pour lui ? C'est du reste sans étonnement que je l'ai appris. Les filles de ce genre recherchent chez un amoureux le symbole du père.

— Je trouve que c'est terrible pour André. Il est si digne de confiance...

— Solide et digne de confiance, je suis tout à fait de votre avis. Aucune situation ne le prendra jamais au dépourvu. De plus, il est viril, ce qui ne peut que plaire aux femmes... En tout cas à celles qui consentent à être dominées...

Cissie arrivait. Il me fit un dernier signe d'adieu de la main, me laissant avec le sentiment qu'il m'avait déconcertée. Comme s'il avait brusquement tiré un tapis sous mes pieds !

Pourquoi agissait-il ainsi ? Pourquoi m'entraînait-il si loin, vers lui, pour me rejeter ensuite, pour quelqu'un d'autre...

Pourtant, il s'était fait du souci pour moi. Mais cela ne signifiait vraiment rien ! Cela pouvait être une question de conscience, de responsabilité.

Il regrettait de m'avoir entraînée malgré lui, vers

un danger. Mais, quant à me laisser supposer qu'il tenait vraiment à moi, pour moi, il trouvait toujours une échappatoire.

⁂

Edward Willows vint voir Prud et Nelle, et déclara qu'elles étaient toutes deux en grande forme. Aussitôt après, ce fut le tour de la police. Deux inspecteurs en civil.

Il me posèrent une quantité de questions auxquelles je répondis du mieux que je pus. Ils jetèrent un coup d'œil à la maison et au jardin, et partirent.

Cissie était très intriguée. Je la mis sur une fausse piste en lui expliquant qu'il y avait eu des vols dans le voisinage.

Ce jour-là, il me parut impossible de travailler. Je finis par abandonner. J'avais trop de soucis en tête pour pouvoir me concentrer sur des choses aussi futiles que dessiner ou colorier...

J'étais inquiète et pleine d'appréhension. Je continuais à penser à l'appartement de Londres, à Paul, tout seul là-bas... A ces escaliers dangereux, même sans fil de fer... Sans parler de la boutique par laquelle n'importe qui pouvait monter facilement, sans se faire remarquer.

Mais, espérais-je, Paul ne manquerait pas de fermer très soigneusement la porte, maintenant. Et heureusement, la police était prévenue. Et puis, Dieu merci ! Paul n'était pas une mauviette ! Il était solide, résistant, alerte. Mais, si cet Astor était réellement un déséquilibré ?

Je pensai à cette voiture emballée, la nuit dernière... L'homme pouvait être encore dans Mellerton. Ces pensées me donnaient des crispations intérieures, difficiles à supporter.

C'est à peine si je touchai au petit lunch que Cissie vint m'apporter sur un plateau, Et je sursautai littéralement en entendant claquer la portière d'une voiture, et un bruit de pas d'homme, crissant sur le gravier de l'allée.

— Kate... Personne à la maison ?

— Il n'y avait pas deux voix semblables... Je me précipitai dans le hall et me jetai dans les bras de mon père.

— Mais, Père, que faites-vous ici ? Pourquoi, êtes-vous venu ?

Je m'écartai un peu de lui, cherchant à lire sur son visage. Il avait maigri, j'en étais sûre. Il semblait soucieux, fatigué.

— C'est ma maison, non ?

Il enleva son pardessus et posa son chapeau sur la petite table du vestibule.

— Tom m'a téléphoné ce matin.

— Il savait qu'il ne devait pas le faire.

— Eh bien ! il a, pour une fois, désobéi et je trouve qu'il a fort bien fait. Je suis très inquiet sur le sort de Prud. C'est à ce sujet qu'il m'a appelé.

Naturellement !... pensai-je. C'était la brillante idée à laquelle Tom avait fait allusion ce matin, sans que j'aie eu le temps de l'approfondir. L'idée qui avait jailli au milieu de la nuit.

J'aurais dû comprendre qu'il sauterait sur la première occasion pour entrer en contact avec son père. L'absence de maman n'avait fait qu'augmenter la tentation.

— Tom m'a dit que ta mère était en Ecosse. Et depuis plus de trois semaines. Pourquoi ne m'en as-tu pas parlé, Kate ? Toi, ou quelqu'un, enfin, aurait dû le faire...

Par « quelqu'un » il voulait parler de Mère, évidemment.

Je me mordis la lèvre sans répondre.

— J'ai la responsabilité de Tom en son absence. Tout le monde ici semble l'oublier, ajouta-t-il avec mécontentement.

Je connaissais ce ton. Je l'avais parfois entendu dans mon enfance. C'était à la fois un reproche et un besoin de moraliser. Il signifiait en tout cas, que père était profondément atteint. Cela pourrait aller loin...

— Oui, Père, répondis-je.

— J'ai l'intention de rester aux Sorbiers jusqu'au retour de ta mère.

— Oui, Père ! répondis-je pour la seconde fois.

Et j'étais si heureuse de cette décision que j'aurais volontiers dansé une gigue endiablée, sur-le-champ !...

Prud se montra, et lorsqu'elle vit Papa, tint à lui montrer fièrement sa progéniture. Quant à Tom, lorsque, au retour de la classe, il trouva son père à la maison, sa joie ne connut plus de bornes.

— Vous resterez, Papa. Vous resterez pour toujours, n'est-ce pas ? Vous verrez, ce sera très différent. Maman ne sera plus du tout la même maintenant qu'elle aura fait un séjour en Ecosse.

Je n'avais aucune idée de ce qu'il voulait dire par là, et Père ne répondit que :

— Nous verrons ça, mon vieux ; nous verrons...

Mais je remarquai qu'il ne pouvait quitter son fils des yeux. Tom lui avait certainement beaucoup manqué, c'était indéniable, visible à l'œil nu...

Je préparai un dîner copieux et nourrissant. Des entrecôtes épaisses et larges comme la main, avec une garniture d'oignons et de carottes nouvelles, suivies d'une compote de pommes accompagnée de crème fraîche.

Père paraissait s'entendre très bien avec André. Ces deux-là avaient tout pour sympathiser. Mais j'avais pris notre « hôte payant » à part, avant le repas, pour lui demander de ne pas faire état de l'horrible aventure de la nuit dernière. Je désirais que toute l'attention de Père soit concentrée sur Tom, qui le regardait avec des yeux émerveillés.

Il fallait, pensai-je de toutes mes forces, que le bonheur de revoir Tom lui donne envie de revenir à la maison. C'était tout ce qui importait.

De toute façon, André ne connaissait pas le fin mot de l'affaire. Seuls, Paul et moi le possédions. Il n'avait aucune idée de l'existence d'un homme appelé Astor et avait toujours cru que j'avais eu à faire à un ivrogne.

Cependant, André restait pour moi une énigme, sur beaucoup de points. Entre autres, je n'avais pu oublier qu'il avait essayé de me cacher la vérité au sujet de Paul et Flora.

Pourquoi m'avait-il laissé croire que Paul était

amoureux de la petite Phelps ? Qu'avait-il essayé de faire, sinon de me rendre aussi malheureuse que lui ?

Et puis, je n'avais pas apprécié la façon brutale avec laquelle il avait agi avec Tom la nuit dernière.

Il avait été beaucoup trop magistral, et autoritaire.

Et bien peu compréhensif ! J'avais détesté la gifle dont il l'avait gratifié. Bien sûr, il l'avait fait dans un moment d'énervement. Il s'était uniquement soucié de moi. Et le comportement de Tom n'avait pas été très heureux ! Mais il aurait pu comprendre l'état dans lequel se trouvait l'enfant. Pour quelqu'un qui passait sa vie avec des jeunes, par choix...

Il y a autre chose qu'une telle gifle pour calmer l'hystérie. Je savais que je ne lui pardonnerais pas son attitude très facilement. C'était un manque de psychologie étonnant chez un homme comme lui. Sans doute, mois aussi aurais-je pu comprendre... Il venait de voir tous ses rêves s'écrouler... J'aurais pu compatir...

CHAPITRE XI

Le lendemain, j'avais à préparer un copieux petit déjeuner pour trois appétits solides. Et veiller à ce qu'ils quittent tous la maison, bien lestés.

Ensuite, quand tout fut tranquille, je me mis au travail. Je résistai fermement à l'envie de donner un coup de fil à Paul à son bureau.

Il ne serait certainement pas satisfait si je me mettais à compliquer les choses. Et, s'il avait le moindre détail à me communiquer, je savais qu'il le ferait à la minute même.

Donc, en fille qui se voulait par-dessus tout raisonnable, je me mis au travail, en essayant de laver mon esprit de tout ce qui était étranger à ma tâche.

Ce matin-là, j'avais à dessiner une couverture pour un roman moyenâgeux, assez sinistre. En tout cas, mon humeur correspondait assez bien au genre de composition qui m'était demandée, pensai-je en prenant mes crayons. Cela devrait marcher...

Je piquai mes punaises aux quatre coins du papier et commencai.

J'étais en train de dessiner à traits légers la première esquisse quand j'entendis le téléphone sonner. Je sautai de mon tabouret et me précipitai vers l'appareil. Ce ne pouvait être que Paul.

Mais avant que j'aie fait la moitié du chemin, la sonnerie s'interrompit. Déçue, je revins à mon donjon, à mes chevaliers en cote de maille, lance au poing, à mon château hanté... moins hanté que moi-même...

Une demi-heure plus tard, la même chose se reproduisit : sonnerie, trop courte pour que je puisse atteindre l'appareil à temps. Cela devenait incompréhensible, ridicule ! Si c'était Paul, il savait que j'avais un assez long chemin à parcourir pour répondre. Il connaissait la maison.

Cissie était, elle aussi, sortie de la cuisine. Elle avait essayé de répondre à l'appel, sans plus de succès. Pourtant, elle était beaucoup plus proche que moi du combiné.

Elle s'était fâchée.

— Je me demande pourquoi quelqu'un appelle, s'il ne nous laisse pas le temps de lui répondre, dit-elle avec bon sens.

— Je pense que c'est la sonnerie qui est détraquée. Un mauvais contact, quelque part. A moins que le Central soit en train de faire des essais sur la ligne. Cela arrive parfois. Ne vous tracassez pas ! Si cela se produit encore, je ferai une réclamation.

Une fois de plus, je retournai à mon dessin. Une heure plus tard, la sonnerie retentit de nouveau. Et, cette fois, elle ne s'interrompit pas comme auparavant.

Je fus surprise en entendant la voix de M. Parkes. Je me souvins en même temps qu'il fallait parler très fort, parce que que le pauvre homme commençait à devenir sourd. Il me délivra son message sans tergiverser.

« — Monsieur Channing n'est pas venu coucher cette nuit, dit-il, mais il m'a téléphoné ce matin de son bureau. Il a essayé de vous appeler mais il n'y est pas parvenu. Deux fois, a-t-il précisé. »

« — Oui. Je sais ! La sonnerie s'est interrompue chaque fois avant que j'aie pu arriver jusqu'à l'appareil. Sans doute était-elle en dérangement ? »

« — Bon : Voici le message. Il a dû aller à un rendez-vous, mais il a demandé que je vous prévienne qu'il vous attendrait cet après-midi, à cinq heures et demie. Il vous fait dire qu'il a quelque chose de très important à vous annoncer. Il espère que vous pourrez venir le rejoindre, sans que ce soit un trop gros dérangement pour vous. »

« — J'irai sans faute, monsieur Parkes. Je suppose que je ne puis le joindre maintenant ? »

« — Non, mademoiselle. C'est justement... Il sera absent toute la journée. Sinon, je ne vous aurais pas dérangée, chez vous. »

« — Vous ne m'avez pas du tout dérangée. Je suis très contente. Merci beaucoup. »

Contente était un mot bien faible pour exprimer mon soulagement. Si Paul voulait me voir sans attendre, et m'avait demandé de le rejoindre à l'appartement, c'est que la voie était libre. On avait mis la main sur Astor...

« — Je viendrai sans faute, monsieur Parkes. Sans faute ! J'aurai ainsi le plaisir de vous voir », me mis-je à crier dans le récepteur.

« — J'ai bien peur que non. Le mercredi c'est le jour où je vais au réapprovisionnement. Je le regrette bien, mais malheureusement... je ne peux changer comme je veux mon jour de fermeture. »

J'eus envie de rire. Monsieur Parkes aurait bien fermé tous les jours si son plus cher ami n'avait été libre qu'un jour par semaine pour jouer aux fléchettes. Quant au réapprovisionnement, il venait à domicile...

« — Je reviendrai bientôt définitivement, monsieur Parkes, criai-je dans l'appareil en lui disant merci et au revoir. »

« — C'est une bonne nouvelle, cria-t-il de son côté. A bientôt. Dans deux semaines. »

J'étais trop en ébullition, trop exaltée, pour continuer mon travail. Je ne pouvais rester en place. J'allai à la cuisine, me préparai un café que je bus debout.

C'était trop merveilleux... Super ! comme disait Tom.

J'allais voir Paul à cinq heures et demie. Je fis mes plans. Je partirais à trois heures et demie. Il faudrait, pour commencer que je passe chez Trent. Je montrerais mes esquisses à Mike. Tout au moins les premiers essais sur lesquels je travaillais en ce moment. Ils me semblaient réussis.

De là, je me rendrais à l'appartement. Cela signifiait, pour le présent, que je devais me remettre au travail immédiatement pour avoir quelque chose de convenable à présenter.

Cela signifiait également que je devais persuader Cissie de préparer sans moi le dîner de ce soir. Je le fis sur-le-champ. Contrairement à ce que je craignais, elle ne fit aucune difficulté.

Elle achèterait du jambon et ferait une platée de spaghettis. Et, pour le dessert, une de ces crèmes en boîte « qui n'étaient pas du tout mauvaises ». Je n'allais pas la contredire sur ce point, ce n'était pas le moment !

Ceci réglé, je me sentis tous les courages.

C'est ainsi que, moins de quatre heures plus tard, j'étais installée dans le train de Londres, mes croquis soigneusement placés dans mon carton à dessin, sur la banquette, à côté de moi.

Je me sentais encore très surexcitée, mais pleine d'espoir.

J'allais voir Paul et tout irait très bien. L'affaire Astor serait éclaircie et, alors, nous pourrions tranquillement, penser à nous-mêmes.

Paul avait semblé se soucier très fort de moi lorsqu'il était venu à la maison la veille. Il s'en souciait, oui, certainement. Il n'avait pas cherché à le cacher !

Bien sûr, il avait agi d'une façon étrange au moment où il m'avait quittée, il avait presque fui... Oh ! je ne pouvais me faire d'illusion. Il n'était pas du bois dont on fait les maris... Mais ça m'était égal.

Je l'aimais comme il était. Tant pis si je devais en souffrir plus tard ! Je l'aimais assez pour oublier la discrétion, pour jeter à tous les vents ma fierté, mon amour propre, ma pudeur. Je l'aimais plus que je n'avais jamais aimé personne de toute ma vie...

Alors, pourquoi ne serais-je pas comme il souhaitait que je sois ? Pourquoi ? Pourquoi ? Pourquoi ? Et les roues du train reprirent mon refrain sur un ton monotone mais révélateur.

Voir Paul... Voir Paul... Voir Paul...

Et tout mon être, d'un élan profond, suivait la chanson du train. J'allais vers lui... toute... !

La visite chez mon éditeur me prit très peu de temps. Mike donna son accord sur le projet que je lui montrai.

— Vous vous en tirez de mieux en mieux, Kate. J'ai dans mes tiroirs une quantité de travail pour vous.

Bonne nouvelle ! pensai-je en le quittant. J'étais tranquille de ce côté qui n'était pas négligeable, même quand on se prépare pour un voyage au septième ciel...

J'étais tirée d'affaire, pensai-je. La crainte et l'insécurité, la détresse et les vaches maigres, tout cela était terminé. La roue était en train de tourner...

Je marchai comme en rêve de la maison d'édition jusqu'à l'appartement, par les rues déjà éclairées ! C'était une belle distance, mais j'avais besoin de me dépenser. Et j'avais le temps d'aller à pied. Je ne serais pas en retard. J'avais même du temps à tuer. Il n'était encore que cinq heures.

J'avais ma clé, naturellement. J'aurais mieux fait de dire mes clés car, aujourd'hui, avec la boutique de Parkes fermée, je devrais passer par le portail de la cour. Je ralentis le pas, car je ne voulais pas arriver trop tôt.

J'aurais paru anxieuse. Je voulais éviter ça. Paul devait aimer les filles de sang-froid. Et puis, quelques vestiges d'amour propre me retenaient d'être en avance.

J'avais oublié que cinq heures, c'était l'heure de la bousculade. La sortie massive des bureaux et des boutiques. J'étais comme poussée par une marée humaine : des vagues disparates, des gens fatigués, d'autres gais, des jeunes, des vieux, courant vers la plus proche bouche de métro, pour se retrouver plus vite chez eux.

Même l'air était différent ici, dans Londres. On ne sentait pas l'odeur propre et saine de la gelée. Il faisait simplement froid, d'une façon désagréable. On avait en même temps les extrémités moites et glacées, même avec des gants épais et des bottes. J'essayai de marcher plus vite pour me réchauffer. Mais j'avais l'impression que je n'avançais pas. J'étais agitée, nerveuse, brusquement, sans savoir pourquoi.

Quand j'arrivai à la bouche du métro qui dégorgeait encore une foule compacte, je poussai un soupir de soulagement. J'étais presque arrivée. Juste la rue à traverser et je me retrouverais dans ma chère rue Brompton.

Voilà ! J'y étais. Tout m'était agréablement familier : la boutique fermée de Parkes, celles de ses voisins, envahies par la foule des retours de bureaux, le portail de la vieille cour, vestige du temps des diligences, que j'ouvris rapidement avec ma clé. Puis, quand j'eus atteint le palier du rez-de-chaussée, les odeurs de fruits et de légumes que je connaissais bien. Et la lumière pauvre de l'escalier que je me hâtai d'allumer.

Car, pourquoi ne pas l'avouer ? J'avais peur. Peur ! Sans avoir la moindre idée de la raison de cette frayeur. Effrayée de revoir Paul ?... Ne pas savoir, rendait cette frayeur pire encore. Je frissonnais dans mes vêtements glacés.

J'entrepris la montée de l'escalier. Un étage. Un autre encore. Je ne regardais pas autour de moi.

Encore trois marches. Enfin, la dernière, Dieu merci...

Mes clés étaient dans mon sac. Au fond, naturellement. Je baissais la tête, et au même moment, je devinai... Je sentis une présence, un mouvement tout près de moi. Une terrible douleur à la tête... Puis, plus rien...

*
**

J'étais dans l'appartement. J'avais été jetée sur une chaise. Je sentais une odeur désagréable. Impossible de crier. J'avais la bouche fermée d'une oreille à l'autre par une bande de sparadrap. La bande serrait non seulement ma bouche mais mes joues. Le même plastique, sans doute, attachait mes mains derrière mon dos. Je ne pouvais les bouger...

En face de moi, un homme... Et un fusil.

Oh ! Non ! pensai-je. J'étais tombée tout droit dans le piège. Le fusil était dirigé vers mon front.

L'homme était petit, trapu, très brun avec une barbe. Et je le reconnaissais... Oh ! Oui ! Je le connaissais !

Le sparadrap m'empêchait de parler, de lui dire que Paul n'était pas David. Je devais le lui dire... Il *fallait* que je le prévienne... Paul n'avait rien fait... David était mort... Et moi, j'allais mourir pour une méprise...

Mais je ne pouvais parler, je ne pouvais bouger. Je lançai un bref coup d'œil en direction de la fenêtre. Les rideaux avaient été tirés. Il avait vraiment été très prévoyant, ce tueur !...

Il se mit à parler d'une voix douce..., douce à vous donner la chair de poule.

— Si j'étais vous, mademoiselle Fawcett, je me tiendrais très tranquille. Ainsi, vous vous sentiriez moins inconfortable sur ce siège. Je regrette de vous avoir frappée mais vous êtes revenue à vous sans trop de mal... En sept minutes exactement.

Il vint très près de moi. Si près que je sentais l'odeur de menthe de son haleine. Je penchai la tête pour m'écarter du fusil menaçant, mais il se mit à rire, et le déplaça de la même façon. Ainsi, l'arme était toujours braquée sur moi, dangereusement proche maintenant. Il allait me tuer à bout portant.

Je sentais le froid du métal sur mon front. Un froid glacial. Un anneau de glace. Un cercle de mort.

— Je ne pense pas que vous me connaissiez, déclara-t-il de la même voix qui me faisait frissonner. A moins que...

« Je suis Steve Astor, et votre fiancé a tué ma femme. Evidemment, il ne l'a jamais admis. Mais je le sais. Sans doute s'en est-il défendu auprès de vous ? Mais, avez-vous jamais vu une belle jeune femme écrasée ? Savez-vous à quoi elle ressemble, ce qu'elle est devenue, quand elle retombe sur la chaussée comme un sac d'avoine ?

« Non, mademoiselle Fawcett. Un tel spectacle vous a été épargné. Mais c'est pourtant ce que Channing a fait d'elle. Il l'a renversée et l'a laissée mourir sur la route. Bien sûr, il s'est forgé un alibi. Mais je n'y ai jamais cru. Je ne l'ai jamais admis. C'était impossible que cet alibi ne soit pas un mensonge.

Il eut un bref ricanement.

— Et cette histoire de vol, croyez-vous que j'ai pu y croire ? Qui, dans son bon sens, l'aurait pu ? Je suis rentré chez moi, en Australie, mais je n'ai pu oublier. Je n'oublierai jamais.

« Je ne suis pas un homme capable d'oublier. Je me suis arrangé pour revenir en Angleterre à l'occasion de vacances : pour trois mois... Pas uniquement, sans doute, pour tuer Channing, bien que j'aie toujours eu cette obsession, mais réellement pour voir mes beaux-parents, qui sont le seul lien qui me relie encore à ma femme. Tout au moins, c'est ce que j'avais pensé en quittant Melbourne. Cependant, lorsque je débarquai, je savais que je n'avais réussi qu'à me tromper moi-même. L'idée était toujours dans ma tête.

« Pourquoi vivrait-il, lui, alors que la vie m'était devenue un insupportable fardeau ? Je fis mon plan. Je commencerais par l'effrayer, de plus en plus... puis, je le tuerais.

« La première chose que je fis fut de me rendre à son bureau. Je guettais sa sortie. Il était toujours là. Je tenais ma vengeance. Mais je n'étais pas pressé. Je le suivis jusqu'à son appartement de Highgate, puis je le traquai dans son appartement de Londres. J'étais là, dans l'escalier, quand il est venu vous voir, quand vous avez crié son nom et qu'il vous a emportée dans ses bras chez vous. Vous partagiez cet appartement.

« C'était très... agréable, n'est-ce pas ? Vous étiez heureux... En tout cas, cette rencontre m'avait prouvé que vous aviez de l'importance dans la vie de Channing. Aussi vous ai-je suivie, en même temps que lui. Ce fut un rude travail ! Et surtout cela n'était pas facile, à partir de l'endroit où habitaient mes beaux-parents. Aussi les ai-je quittés, il y a quelque temps, pour faciliter ma tâche. Des amis m'accueillirent à Chelsea, un quartier central, très commode pour moi. J'ai aussi, parfois, couché dans la petite réserve à légumes, en bas, au rez-de-chaussée. Un excellent poste d'observation. Personne n'y met jamais les pieds.

Sa voix monotone, son visage sans expression, créaient en moi une espèce d'hypnose. Une sorte de brouillard se formait devant mes yeux. Un brouillard violet... Oh ! Non ! Je n'allais pas me trouver mal... Je ne *devais* pas. Seigneur, ne permettez pas que je m'évanouisse !

« Si je reste très tranquille, si je retiens un peu mon souffle, si je respire calmement par le nez... Ne me laissez pas... Il ne faut pas... Je n'ai pas le droit... Il faut que je réussisse à lui parler, à lui faire comprendre. Ne me laissez pas disparaître sans avoir pu expliquer... crier la vérité !

Et la voix monotone continuait à débiter des mots qui n'avaient plus de sens, et je devais rester là immobile, à l'écouter... *Oui... Ecouter*. Ce n'était pas le moment de me trouver mal...

— C'est moi qui ai téléphoné à Parkes ce matin, me disait Astor. J'ai fait comme si j'étais Channing. J'ai appelé d'une cabine de l'autre côté de la rue. J'ai dit que je voulais vous voir pour une communication très importante.

« J'avais besoin que vous veniez tous les deux ici. Car, lui, va venir aussi. Je connais maintenant ses habitudes. Il rentre toujours un peu après cinq heures et demie.

« Il va venir. Il n'a aucune raison de se méfier. Quant à vous, j'ai agi d'une manière dont je suis assez fier. Une jolie ruse ! J'ai téléphoné deux fois chez vous en m'arrangeant pour que vous n'ayez pas le temps de décrocher. Ainsi, quand j'ai fait dire par Parkes que j'avais essayé de vous appeler deux fois sans succès, vous ne pouviez vous douter du piège. Tout était trop bien préparé...

« Pourtant, j'avais une crainte. J'avais peur que Channing vous téléphone entre-temps. C'était la seule chose qui pouvait faire échouer mon plan.

« Vous voyez, la chance est avec moi. Avec la justice. J'ai acheté un fusil. Vous n'imaginez pas comme il est facile de se procurer une arme quand on connaît la bonne filière. Là aussi, j'ai eu de la chance... Et assez d'argent !

Il tenait toujours son arme à la main. Mais elle n'était plus dirigée juste sur moi. On ne peut pas braquer trop longtemps un fusil sur quelqu'un sans risquer que la main tremble de fatigue au moment décisif... Pourtant, je savais qu'à mon premier geste, il tirerait. J'étais attirée vers cette arme comme par un aimant. Si je cessais de la regarder, il en profiterait pour me tuer.

A force de la fixer, j'en connaissais tous les détails. Le canon était muni d'un silencieux. Décidément, il avait bien préparé sa vengeance. Une vengeance qui se trompait d'objet.

C'était à devenir folle.

Et la voix monotone continuait.

— Je l'ai essayé la nuit dernière, était-il en train d'expliquer assez complaisamment, mais d'une voix neutre.

Il toucha le canon, brillant, tout neuf.

— C'est une excellente arme. Aucun bruit. Parfaite pour tuer sans aucun ennui. Mais j'aurais cependant préféré ne pas vous rater la nuit dernière, au volant d'une voiture que j'avais empruntée. Ainsi, vous seriez morte exactement comme ma femme. Comme elle, vous auriez été défigurée, brisée. Mais vous avez réussi à sauter. Vous avez conservé assez de sang-froid pour le faire. A ce moment, j'ai presque pensé que vous méritiez de vivre, à cause de votre présence d'esprit.

« Channing, lui aussi, a eu de la chance avec ce fil de fer. Mais cet essai-là avait été très enfantin de ma part. J'ai réfléchi et amélioré mes méthodes depuis... Ce coup-ci a été parfaitement préparé. Il ne peut rater. Il mérite de réussir.

Tout cela était dit d'une voix douce, presque aimable. Ce qui rendait la situation plus dramatique. Mes lèvres me firent très mal, serrées contre la bande élastique, quand je tournai la tête de tous côtés, violemment, en agonie. J'allais étouffer... Et tout cela pour rien ! Les larmes qui me vinrent aux yeux étaient des larmes de rage.

Il rit en les voyant emplir mes yeux.

— Inutile d'essayer de vous détacher. Je vais vous tuer tous les deux. Sans aucun risque. Pourquoi la police me soupçonnerait-elle ? Channing sait que je le poursuis, que je le traque. Mais je sais aussi qu'il n'en aura parlé à personne. Etant donné le rôle qu'il a joué, il n'oserait pas. Il faudrait pour cela qu'il s'accuse de la mort de ma pauvre Suzy...

Ainsi, nous allions mourir tous les deux, Paul, puis moi... Et ce fou retournerait tranquillement dans les rues, dans la foule. Et personne ne saurait... Tout au moins le croyait-il ?

Pouvoir parler... pouvoir lui dire... lui expliquer...

Oh ! Si seulement j'étais dans la possibilité de parler... Lui jurer que Paul n'était pas David ! Et que David n'avait jamais tué personne ! Mais je ne pouvais rien faire. J'étais impuissante. Tout ce que je pouvais faire était de pousser quelques grognements inarticulés et implorer par le seul moyen du regard...

Ce que j'essayais désespérément, sans en avoir honte...

— Vous avez des yeux très éloquents, Katie !

Le ton était devenu familier. Il s'était approché de nouveau et, de la main, ramassait mes cheveux derrière mon cou.

— Suzy avait aussi de fort beaux cheveux, mais ils étaient d'un blond doré, brillants... Aussi brillants que les vôtres...

Les coins de sa bouche s'étaient légèrement retroussés, ce qui faisait remonter légèrement sa barbe. Je me mis à trembler, sans pouvoir m'en empêcher.

Il se mit à rire. De nouveau, je sentis l'odeur mentholée de son haleine. Il ramena mes cheveux en avant, sur mon visage. Je secouai la tête pour libérer mes yeux.

— Il est temps, maintenant, de vous préparer pour le rôle que vous allez jouer dans ma petite mise en scène. Nous suivrons le scénario jusqu'au bout, comme prévu, sans faire d'erreur.

« Pour commencer, nous entendrons la porte s'ouvrir et se refermer, en bas. Puis Channing montera l'escalier. Vous resterez tranquille jusqu'à ce qu'il soit à l'intérieur. Il verra la lumière sous la porte. Vous sachant ici, il va entrer en courant, avec une seule pensée en tête, vous voir.

« Et il vous verra telle que vous êtes, bâillonnée, attachée. Moi, je serai près de la porte, hors de sa vue. Mais je pousserai un cri. Alors, il se retournera. C'est à ce moment que je tirerai... Et après ça, chère petite, c'est vous que je tuerai.

« Tout ce que j'aurai à faire, à ce moment-là, c'est de mettre le fusil entre ses mains, comme s'il vous avait tuée avant de se donner la mort. En d'autres termes, je vais maquiller vos deux morts en crime passionnel, se terminant par un meurtre et un suicide.

« Vous pouvez remarquer que je porte des gants.

« J'ai tout prévu. On pourrait croire que je suis un tueur professionnel, ne pensez-vous pas ?

Je rêvais, pensai-je. J'étais en train de rêver. C'était un cauchemar. Ce ne pouvait être vrai ! C'était un rêve...

Pourtant, je savais qu'il n'en était rien. C'était vrai, réel, actuel. Sans doute pourrais-je essayer de courir. Je n'étais pas attachée sur ma chaise. Je pourrais courir, même les mains derrière le dos, même les chevilles entravées... Rouler par terre par exemple... Prévenir Paul, de quelque façon que ce soit, du danger de mort qui l'attendait ici. Mais comment faire ? C'était impossible ! S'il me savait en danger, il ne pourrait que se précipiter plus vite encore à mon secours...

Que pourrais-je inventer ? Il devait bien y avoir quelque chose à faire... Il suffisait d'y penser suffisamment fort pour trouver...

— Si vous êtes en train de chercher à me jouer des tours, ma petite, vous ferez bien d'y réfléchir à deux fois. Bougez, si peu que ce soit, et je vous tue d'une balle en plein visage. Vous pouvez en être sûre !

Cette pensée était horrible. J'étais moite d'une sueur d'angoisse. De seconde en seconde, l'arme me semblait plus menaçante, comme si elle faisait corps avec le tueur... Comme une excroissance monstrueuse qui aurait poussé au bout de sa main...

C'est alors que nous entendîmes, nettement, claquer le portail de la cour.

— Restez tranquille ! Je vous tiens en joue. Surtout, ne bougez pas !

Astor recula vers la porte et se plaça dans un recoin où il ne pouvait être aperçu d'un arrivant. Les pas de Paul sur l'escalier nous arrivaient, de plus en plus distincts, de plus en plus proches : Tap-tap, tap-tap, tap-tap...

J'avais l'impression que mes oreilles se dressaient pour mieux entendre. Ma pensée s'élançait de toutes mes forces vers lui. « N'entrez pas, Paul... N'entrez pas... Pour l'amour du ciel, n'entrez pas... »

CHAPITRE XII

Quelque chose, alors, se produisit qui pouvait me donner une chance : une ombre de chance.

La porte de l'appartement s'ouvrit toute grande sur le palier comme elle faisait parfois à cause de la serrure usée.

Astor était bloqué derrière cette ouverture béante. Je me dressai sur mes pieds entravés. Durant une seconde, j'eus la vision de Paul arrivant en haut des marches. Je me propulsai vers lui comme un canard boiteux, et, comme il continuait à avancer, je me jetai sur lui de toutes mes forces.

J'entendis un hurlement, un coup de feu, une plainte. J'étais à terre, dans l'obscurité, écoutant, le cœur battant, le bruit sourd d'une lourde chute qui n'en finissait pas... Un corps roulait tout au long de l'escalier.

Une foule envahit la pièce. Une cohue, descendant et montant les marches. De nouveau, la lumière et, avec elle, semblait-il, le retour de la douleur.

Paul était allongé sur le sol près de moi, immobile et muet. Quelqu'un me dégagea la bouche. Je pus alors crier de toutes mes forces, penchée sur le corps de Paul. Je pris sa tête sur mes genoux, le berçai en criant son nom jusqu'à l'enrouement.

Mais la douleur fut plus forte. Elle m'enserra, m'étouffa comme un instrument de torture. L'obscurité revint. Je luttai de toutes mes forces, jusqu'à ce que je ne puisse plus lutter.

Paul !... Paul !... J'avais l'impression que je répétais son nom depuis des éternités, encore et encore !

Je savais que j'étais à l'hôpital, couchée péniblement malgré une masse d'oreillers pour me soutenir. Des visages m'entouraient. Je les voyais dans une brume.

Soudain, à mon grand soulagement, je reconnus celui de mon père, près de mon lit.

— Où est Paul. Il est... mort ?

— Mais non, ma chère petite, il va bien. Il est légèrement commotionné. Mais beaucoup moins blessé que toi. En fait, il est revenu à lui presque immédiatement. C'est lui qui a expliqué l'affaire à la police.

— Commotionné ?

Je prenais tout doucement conscience de la chose. Commotionné ? Avait-il donc reçu un coup sur la tête ?

— Commotionné ? répétai-je.

— Il s'est cogné, expliqua mon père avec une ombre de sourire, quand tu l'as chargé comme un taureau et l'as fait tomber de tout son haut... Parkes était présent, dans le hall du bas. Il n'a pas perdu de temps. Il a éteint l'ampoule du rez-de-chaussée. Vous pouvez apprécier son sang-froid, et sa rapidité d'action. S'il avait tardé une seconde, Astor aurait mieux visé. Et vous ne vous en tireriez pas avec une blessure relativement légère. Il vous aurait tué tous les deux.

Ma pensée était encore paresseuse. Astor... Oui... Le fusil !

Je me rendis compte en même temps que mon épaule était recouverte d'un épais bandage. Je portai la main à l'endroit douloureux. Je me sentais faible et molle comme un nouveau-né.

Mon père avait suivi mon geste et vu ma grimace.

— Père, Paul est-il encore à l'hôpital ?

— Vous y avez été transportés tous les deux cette nuit. On t'a retiré la balle qui était restée coincée sous la clavicule.

— Oui...

J'y étais tout à fait, maintenant. J'avais reçu un coup de fusil. Je revis en une seconde toute la scène. Je savais comment tout avait dû se passer.

— J'ai sans doute été blessée tandis que je me traînais à la rencontre de Paul, sur le palier.

Je réfléchis un instant.

— Vous savez, Père, la porte de l'appartement nous jouait des tours, parfois. Elle s'ouvrait inopinément sans autre raison que l'usure de la serrure. Pour éviter cela, il fallait la fermer avec force. Astor ne pouvait connaître ce détail. Cette porte, s'ouvrant toute seule, l'a surpris. C'était inattendu, incompréhensible... Pendant quelques secondes, il s'est trouvé coincé derrière elle. Cela m'a donné ma chance. Je voulais prévenir Paul de ne pas entrer... L'arrêter à temps.

Mon père sourit de nouveau.

— Quant à l'arrêter, un joueur de rugby bien entraîné n'aurait sans doute pas fait mieux...

Puis, il redevint sérieux.

— Parkes, du bas de l'escalier t'a vue surgir comme un diable de sa boîte. Et bâillonnée... Il n'a pas perdu son sang-froid. Il a éteint la lumière du hall, le seul éclairage du rez-de-chaussée. Et même de toute la cage d'escalier. Dans la semi-obscurité, Astor s'est pris les pieds dans un porte-document qui se trouvait par terre. Il a dégringolé tout l'escalier. Mais il avait eu le temps de tirer.

— Mort ?

J'avais formé le mot du seul mouvement des lèvres. Je remarquai alors que le visage de père, déjà pâle, avait blêmi.

— Un fameux gâchis..., murmura-t-il en détournant les yeux. Quand je pense à ce qui aurait pu arriver...

— Ce porte-document, dis-je pour éviter de m'appesantir sur cette mort, c'est sans doute celui de Paul. Il l'avait jeté à terre quand il a vu dans quelle situation je me trouvais.

— C'est cela, oui... C'est bien ça.

Je hochai un peu la tête et ce simple mouvement me fut douloureux.

— Nous devons une fière chandelle à Parkes, dis-je pensivement, mais je me demande ce qu'il faisait là ! Pourquoi il était venu !

« Il m'avait rappelé que c'était son jour de fermeture et qu'il regretterait de ne pas me voir.

« Une autre chose aussi m'intrigue. Comment

avez-vous découvert, vous, cette histoire Astor ? Je ne vous en avais pas parlé volontairement.

— Eh bien ! j'ai eu les premières indications, quand Parkes m'a téléphoné au bureau, hier soir, vers six heures et demie. Heureusement, j'étais encore là. J'allais partir Tu peux t'imaginer quel choc j'ai reçu quand il m'a appris que ma fille venait d'être blessée d'un coup de fusil, et avait été transportée à l'hôpital Saint-Marc. Il m'a demandé en même temps si je pouvais prendre madame Channing au passage pour l'amener également à l'hôpital. Son fils avait été blessé.

« Un sentiment de cauchemar s'est emparé de moi. J'avais totalement oublié que David avait un frère jumeau. De toute façon, avant de me précipiter à l'hôpital, j'ai téléphoné à madame Channing. Elle est arrivée presque en même temps que moi. Et très peu de temps après, nous avons été rejoints par un jeune homme du nom de Keith qui me mit au courant de toute l'histoire.

— Je pense que madame Channing l'avait prévenu ?

— C'est ce qu'elle m'a dit. Elle lui avait téléphoné avant de quitter son appartement.

Père se mordit les lèvres d'un air pensif.

— C'est un garçon qui semble très utile à connaître quand on se trouve dans une situation dangereuse... Oh ! Kate ! Pourquoi ne m'avoir rien dit ?

— J'ai trouvé préférable de ne pas le faire. Je ne voulais pas vous charger de ce nouveau souci... Mais, vous savez tout, maintenant.

— Je ne l'ai pas su à temps.

— Pardonnez-moi, Père.

Il hocha la tête d'un air grave.

— Il semble qu'il est temps, grand temps, même, que je revienne à la maison...

— Vous ne m'avez toujours pas dit pourquoi Parkes se trouvait à sa boutique ? dis-je, les yeux alourdis de sommeil.

Père me prit doucement la main.

— Si je te le dis, seras-tu assez calme pour te reposer enfin ?

— Je pense, dis-je, en lui souriant faiblement, que je dormirai avec plaisir, mais pas si je me pose trop de questions. Parkes m'avait dit au téléphone, qu'il rentrait chez lui.

— C'est exact. Il est arrivé à son domicile vers une heure, mais, m'a-t-il expliqué, il se sentait mal à l'aise. Il avait eu le jour même l'impression qu'on avait fouillé dans son entrepôt du rez-de-chaussée. Et durant son inspection de ce petit fourre-tout, il avait découvert deux ou trois choses suspectes. Par exemple, il avait trouvé à terre une allumette à demi consumée. Or, il ne fume pas. D'autre part, il y avait également un morceau de chewing-gum collé à une étagère. Il s'était dit que ce pouvait être un livreur qui était responsable. Rien ne manquait. Il n'avait vu aux alentours personne de suspect. Il n'est pas monté jusqu'à ton étage, ce qui. bien sûr, est grand dommage, car Astor devait déjà être caché sur le palier.

« Bref, il rentra chez lui, sans être tranquillisé. Il entra dans un cinéma, mais au milieu du film, sans savoir pourquoi, il se souvint d'une histoire de fil de fer qui n'était pas claire. Ce fut suffisant pour le faire quitter immédiatement le cinéma et revenir à sa boutique. A ce moment-là, il était cinq heures. Il décida de téléphoner à la police. Il le fit depuis l'appareil de son arrière-boutique. Au commissariat, on lui signala qu'on envoyait quelqu'un immédiatement.

Quand il sortit du coin du téléphone, il entendit une voix d'homme provenant de ton appartement. Il ne trouva pas cela extraordinaire. Ce pouvait être Paul. Il savait qu'il devait venir te voir, puisque c'était lui qui s'était chargé de te transmettre le message.

— Oui, je l'avais reçu. Il disait téléphoner de la part de Paul.

— De toute façon, puisqu'il était là, il attendit tranquillement l'arrivée de la police. C'est alors qu'il entendit, avec surprise, claquer le portail de la cour, et quelqu'un grimper l'escalier. Il sortit dans le hall, vit Paul de dos, sans rien y comprendre, puisqu'il le croyait déjà chez toi.

« Il était là, m'a-t-il dit, les yeux levés vers votre étage quand la porte de l'appartement s'est ouverte et tu en as jailli dans une attitude très curieuse, m'a-t-il expliqué. « Comme si elle était ivre... » Et il vit un type armé d'un fusil, entendit un coup de feu, et comme je te l'ai déjà dit, éteignit la lumière.

— Mais... tous ces gens... J'ai l'impression qu'il y avait une vraie foule dans l'appartement...

— Deux d'entre eux étaient les policiers alertés par Parkes. Il les fit passer en vitesse au plus court, par la boutique, et les autres étaient des curieux, des badauds.

— Drame dans la rue Brompton ! ironisai-je. Astor devait être caché à l'étage depuis le matin, hors de vue.

— Comment cela a-t-il été possible ?

— Très facilement. Il est entré par la boutique quand il s'y trouvait encore d'autres clients. Là-haut il y a un renfoncement où un évier était installé autrefois, avant qu'on ait modernisé un peu la maison. Il a dû rester là des heures...

Je frissonnai en pensant comment il m'avait accueillie, mise knock-out brutalement et introduite dans le salon comme un paquet de linge sale...

— Dors maintenant, ma chérie.

Je me demandais comment j'y réussirais. Mon épaule commençait à me faire très mal. Des élancements, presque aussi pénibles qu'une rage de dents...

— Père, êtes-vous certain que Paul va bien ?

— Tout à fait sûr. Il a repris pleinement conscience, et pourra quitter l'hôpital dans un jour ou deux. Toi, par contre, tu en as pour une bonne semaine. Et tu devras subir des interrogatoires de la police. Ils sont déjà très bien renseignés mais ils doivent avoir ton témoignage.

Je me souviens avoir répondu :

— Je suis habituée aux enquêtes...

Avant de sombrer dans un lourd sommeil.

***

Quand je m'éveillai, c'était le soir. Ma montre indiquait six heures. Vingt-quatre heures s'étaient donc écoulées ? J'avais du mal à le croire. Mon épaule me faisait souffrir. Maman et Tom étaient auprès de mon lit.

— Bonsoir, maman. Vous êtes de retour ?

— Chérie, comment pouvais-tu penser que je ne rentrerais pas immédiatement quand... Comment vas-tu ? Oh ! Kate !...

— Très bien.

Maman se moucha violemment, tandis que Tom s'installait au pied de mon lit.

— Tu as été rudement brave, Kate... Papa m'a raconté... Tu as sauvé la vie de Paul.

— Oh ! La ferme ! Tom...

— Mais, tu l'as fait ! Papa me l'a dit... Parkes a raconté que tu lui étais rentrée dedans comme un taureau, tête en avant.

— Je ne pouvais pas le laisser tuer sans faire quelque chose, dis-je d'un ton fâché qui ne troubla guère Tom.

— As-tu gardé la balle ? Te l'ont-ils donnée ? Qu'est-ce qu'on ressent quand on reçoit un coup de fusil ?

— De la révolte, répondis-je très sincèrement. Quant à la balle, tu peux la voir, là, dans ce bol.

— Je ne vois pas de sang.

— J'espère bien qu'ils l'ont lavée avant de me la donner...

— Ça suffit, dit ma mère. Kate est fatiguée. Nous reviendrons demain.

— Attends ! Il faut que je lui raconte l'idiotie qu'est en train de faire Willows, avec cette gamine.

Il va l'épouser... Comme ça, elle va être la mère de Ben... Tu te rends compte ? Ben dit qu'il s'en fiche. Il l'aime bien.

Remettant la balle dans son coton, je surpris un regard de détresse dans les yeux de ma mère. Ainsi, elle s'était réellement entichée de Willows... Si les circonstances s'y étaient prêtées... Maintenant, j'étais certaine que tout irait bien.

De mon lit, je les regardais partir. Mère, petite et mince avec ses magnifiques cheveux blonds, le garçonnet dans son uniforme de collégien. Et père, qui les attendait à la maison...

Tout rentrait dans l'ordre. Que ce fût un compromis n'avait pour l'instant que peu d'importance. Mais j'étais triste pour André. Qu'allait-il faire ? Sans doute retourner en Ecosse. Flora n'aurait jamais pu lui convenir. Il n'était pas, et de loin, « l'image du père » qu'elle recherchait inconsciemment. Paul avait eu raison à son sujet. Il semblait bien connaître les femmes. C'était probablement pour cela que le mariage n'était pas fait pour lui...

Je souhaitais sa visite, mais je savais que ce n'était pas possible immédiatement. Il était encore en mauvais état. Peut-être très blessé... Et on me l'avait caché...

La porte de ma chambre s'ouvrit de nouveau. J'avais la visite de Mme Channing. Enfin, des nouvelles !

— Tout va bien, Katie, me dit-elle dès qu'elle fut à mon chevet. Il quittera le lit demain et l'hôpital dans l'après-midi.

Je n'avais pas ouvert la bouche, mais elle avait deviné la question qui me brûlait les lèvres, comme si elle avait été inscrite dans la bulle de bandes dessinées.

— Il vous envoie toute son affection. Et je voudrais vous dire, combien je vous suis reconnaissante... Les mots sont bien insuffisants... Je...

J'étais surprise de la voir aussi émue. Même au moment de la mort de David, elle n'avait jamais perdu réellement son sang-froid.

— J'ai fait simplement ce que vous auriez fait à ma place, dis-je, aussi calmement que je pus.

— Je voudrais croire que j'aurais été aussi brave que vous...

J'avais envie de lui dire que je n'avais pas été brave, mais tout simplement désespérée, effrayée à mort. J'aurais pu lui dire que j'aimais son fils plus que ma propre vie... J'aurais...

L'infirmière qui entra à ce moment, poussant le petit chariot des médicaments m'en empêcha. Elle devait me faire une piqûre. Madame Channing me quitta.

Ensuite, je dormis très, très longtemps. Quand je m'éveillai, le jour était levé, et il pleuvait. J'entendais le chant de la pluie sur les fenêtres. Je me sentais beaucoup mieux. Mon épaule me taquinait, certes, encore un peu, mais c'était très supportable.

On me permit de me lever et d'aller faire ma toilette dans la salle de bains, où une infirmière m'aida à prendre une douche en préservant mon pansement.

Je pus enfin me laver les dents, et me frictionner à l'eau de toilette que Mère m'avait apportée. Je me sentais agréablement fraîche et propre.

Je déjeunai de thé avec des toasts, je vis le médecin, puis la police. Une sorte de petite conférence s'ouvrit et, quand les inspecteurs partirent, j'étais épuisée. Je me rendormis avant même de m'en être rendu compte.

Quand je m'éveillai, il y avait deux jambes de pantalon au ras de mon lit. Levant davantage les yeux, je remontai jusqu'à un sweater que je connaissais bien. Puis, jusqu'à une mâchoire un peu serrée, une bouche sérieuse, un nez élégant et impérieux...

— Oh ! Paul ! Dieu merci...

— Kate ! Ma pauvre petite !

Il m'embrassa avec précautions, comme si j'étais faite de cristal très fragile.

— Etes-vous tout à fait bien ? demandai-je.

— Comme neuf... Sauf une énorme ecchymose...

— Père m'a dit qu'Astor....

Il fallait que j'entende la nouvelle de la bouche de Paul. Père, la police, tout le monde, me l'avait affirmé mais je voulais entendre cette mort confirmée par Paul.

— Tout est terminé de ce côté, dit-il. Chérie, soyez tranquille ! Mais je suis navré très sincèrement, qu'il ait fini ainsi. S'il avait possédé son bon sens, il m'aurait permis de lui expliquer...

— Mais il n'était pas normal.

— Non ! Il n'était pas normal, mais très malheureux ! Il avait souffert une agonie depuis la mort de sa femme.

Paul n'en dit pas davantage. Mais je sus, à cette minute, qu'il était infiniment plus sensible et sentimental qu'il n'avait jamais voulu en convenir.

— Je rentre à la maison cet après-midi, annonça-t-il un peu plus tard.

— A Highgate ?

— Oui, pour le moment

— J'en suis contente.

— Mère est venue vous voir, n'est-ce pas ?

— Oui. Hier.

Il approcha la chaise des visiteurs près de moi, et allongea son bras sur le bord de mon lit.

— Kate... J'ai quelque chose d'autre à vous dire. Quelque chose que ma mère désire que vous sachiez. Qu'elle m'a demandé de vous dire... au sujet de David ?

— Quoi... au sujet de David ?

Je m'étais dressée sur mon lit, stupéfaite. La dernière chose à laquelle j'aurais pu m'attendre était de parler de David.

— Que voulez-vous me dire au sujet de David, Paul ?

— C'est à propos de sa mort, en Cornouailles...

— Oui, au moment de l'accident...

— C'était la faute de ma mère. Elle l'avait attrapé par le bras... Il n'a pu redresser le volant à temps...

Je ne dis pas un mot. Je n'aurais pas pu. Je fixais Paul à travers un brouillard. Je voyais ses lèvres remuer.

— Ils s'étaient disputés... David voulait rester avec vous... Elle criait, folle de colère. Elle lui a attrapé le bras... Vous savez le reste... le résultat fatal...

Je regardai Paul avec horreur. Cet affreux matin était de nouveau présent à ma mémoire. Chaque détail... Le soleil, la mer, la police, le sentiment de culpabilité qui ne m'avait jamais quittée depuis... Celui qu'elle avait dû ressentir...

— Seigneur ! Pauvre femme !... Pauvre femme !..

Paul serrait mes mains convulsivement.

— Oh ! Kate ! Que c'est généreux de votre part ! Je vous aime... tellement, chérie...

— Quoi !

— Je vous aime... Je vous aime... Vous devez savoir que je... Epousez-moi, Kate. Je vous veux, vraiment, irrévocablement. Pour toute ma vie...

— Vous n'avez pas à me proposer de m'épouser parce que...

— Sotte ! Comme si c'était la raison ! J'avais envie de vous épouser bien avant cette histoire ! Je l'ai désiré la première fois que je vous ai vue, inconsciemment d'abord, mais je me rebellais contre cette idée. Je n'avais pas envie de m'attacher... Non... Pas à ce moment-là...

— Vous... vouliez une... aventure, simplement...

— Je vous désirais, oui, c'est vrai. Je trouvais que vous étiez la fille la plus impressionnante que j'aie jamais vue. C'est vrai, je voulais vivre avec vous chaque minute du présent. Mais il faut que vous le sachiez, souvent les hommes ne savent pas exactement où est leur voie. Ils ressentent le désir avant de savoir qu'il est lié à l'amour...

« J'ai su que j'avais envie de vous épouser le soir de l'anniversaire de Flora... Je détestais l'idée de ce mois entier que vous passiez avec Goss. J'étais également préoccupé d'Astor. Je ne pouvais arriver à trouver une solution. Puis, quand vous avez été en danger, je n'eus plus qu'une pensée en tête. Vous garder saine et sauve, hors d'atteinte. Je vous aime, chérie ! Mais, vous, aimez-vous encore David ?

Ses doigts froissaient la manche de ma chemise de nuit. Je ne pouvais voir que le sommet de sa tête, ses cheveux noirs et drus, coupés par un excellent coiffeur. Ses mots firent exploser la vérité comme le déclic de certaines serrures de valises, trop pleines... Cette simple impression était en elle-même un soulagement. Je voyais clair. J'allai droit au but.

— J'ai beaucoup aimé David, dis-je. Mais c'était la Kate de ce temps-là qui l'aimait. Maintenant celle qui existe, c'est vous qu'elle aime. Vous, Paul. Vous, que j'aimerai toujours.

« C'est, continuai-je lentement, comme lorsqu'on grimpe au sommet d'un arbre ou d'une montagne, pour avoir une vue meilleure, plus belle que d'en bas...

Et ce que j'aperçus alors dans ses yeux était la réponse à mes plus beaux rêves. Je m'arrangeai pour mettre mon « bon » bras autour de son cou.

***

Mais je ne me faisais pas d'illusion. Je savais que les choses ne changeraient pas, du moins radicalement, entre Mme Channing et moi. Elle continuerait à penser que Paul aurait pu faire un meilleur choix. Elle essaierait de me refouler au second plan, mais elle ne réussirait jamais plus à me décontenancer, à m'effrayer. Car ces sentiments appartenaient au passé.

Pourtant, maintenant, elle a une certaine affection pour moi, tout en regrettant sûrement que son fils n'ait pas trouvé « sa millionnaire ».

D'ailleurs, ses préoccupations pour nous passent au second plan, désormais. Un an après notre mariage, elle a épousé le professeur Phelps et nous ne cessons de nous en féliciter.

Ils sont tellement bien assortis... Tous deux férus d'antiquités, de problèmes psychologiques, et respectueux des traditions !...

Flora et Willows ont eu un fils, assez rapidement pour surprendre les bonnes âmes de la région...

André est reparti dans le Nord.

Le retour de Père à la maison a fait de Tom le plus heureux des enfants. Le chiot de Prud est florissant. Quant à elle, elle reste notre chérie.

Paul et moi avons acheté un appartement dans Highgate, pour la plus grande sastisfaction de ma belle-mère qui continue à penser que, seul, le nord de la Tamise est résidentiel.

Nous avons un sorbier dans notre jardin. L'arbre du souvenir... Quand il est couvert, à l'automne, de ses petites baies rouges, il nous rappelle avec bonheur l'année où nous nous sommes rencontrés.

Au temps des sorbiers évidemment...

FIN

Achevé d'imprimer
le 21 janvier 1980
sur les presses
de l'imprimerie Cino del Duca,
18, rue de Folin, à Biarritz.
N° 759.

Dépôt légal n° 402. 1er trimestre 1980.